Cuentos para dormir. Historias para vivir.

Juan Rivas

Hombre Nuevo
12036 Ramona Blvd.
El Monte, CA 91732
www.hombrenuevo.net

Diseño de portada e interior, Studio Lencioni. Edición y dirección editorial Por Escrito. Los textos bíblicos corresponden a *La Nueva Biblia de Jerusalén* © Equipo de traductores de la edición española de la Biblia de Jerusalén, 1999. Editorial Desclée de Brouwer, S.A. 1999.

Publicado por Hombre Nuevo, Inc. 12036 Ramona Blvd., El Monte, CA. 91732.

ISBN 13 978-1-935405-00-9
ISBN 10 1-935405-00-4

Impreso en los Estados Unidos de América
09 10 11 12 13 Bang 6 5 4 3 2 1

Dedicatoria

Al Niño Jesús

Índice

Presentación

Es curioso observar cómo en un tiempo como el nuestro donde los medios de comunicación han alcanzado un gran desarrollo, todos podemos comunicarnos instantáneamente, sin fronteras, convirtiendo el mundo en una aldea global. Sin embargo, la comunicación de persona a persona, marido-mujer, padres-hijos, maestros-alumnos se apaga, se entorpece y se hace casi imposible.

Tenemos muchos instrumentos para comunicarnos, pero no tenemos la interioridad necesaria para comunicar, ni serenidad para hacerlo. Por eso he pensado que quizás debamos repasar las técnicas que usaban los antiguos pensadores para comunicar sus creencias religiosas, sus tradiciones o enseñanzas morales: el cuento, la leyenda, la historia moral. Indudablemente, como sacerdote que soy, me interesa el método de Cristo que, a diferencia de los relatos de otros personajes famosos, más que entretener a la gente, buscaba despertar el entusiasmo por las cosas de arriba, e invitarlos a vivir las exigencias del Reino y el compromiso de la fe.

Cristo no sólo encontraba enseñanzas en esos relatos orientales de aventureros buscadores de perlas o de tesoros escondidos, sino también sabía descifrar los mensajes divinos en los acontecimientos de la vida diaria: la mujer pobre que pierde una moneda; el pastor que va en busca de su oveja perdida; la mujer sorprendida en adulterio.

Además de la Sagrada Escritura, los libros que más me han ayudado para esta serie, son: *La moral del cuento*, escrito por Laura Vagliasiandi; algunos cuentos escritos por León Tolstoi; finalmente, *Antología de cuentos*, escrita por R. Menéndez Pidal.

Los demás relatos son historias clásicas, películas, poesías y algunas creaciones mías. No obstante, me he esforzado en todo por darles una presentación digna de ustedes, mis lectores y lectoras. He diseñado un buen escenario y, sobre todo, me he esforzado por aplicar las enseñanzas a la vida diaria, para que en ella brille la luz del Evangelio.

—Juan Rivas

I

El espantapájaros y la alondra

Había una vez un espantapájaros sumamente feo, el más feo que puedas imaginarte. Su cabeza era de trapo, su ojos dos grandes botones, uno negro y otro café; su saco roto y deshilachado no se lo hubiera puesto ni el más mísero mendigo; su estómago abultado y de sus mangas, en vez de manos, salían unos manojos flácidos de paja seca. Su cabeza, siempre caída, sus brazos abiertos y encorvados y sus piernas torcidas le hacían parecer ridículo a los caminantes que ocasionalmente pasaban por ahí, causándoles un terrible miedo a los pájaros.

Lo curioso es que ese espantapájaros tenía el corazón más dulce y gentil que jamás nadie haya tenido, amaba mucho a las avecillas, pero estas le tenían miedo. Trataba de sonreír a los extraños, que rara vez pasaban por el camino polvoriento que le servía de compañía. A pesar de todo, no podía cambiar la fea mueca que tenía dibujada. ¡Qué soledad tan terrible la de aquél espantapájaros con corazón de oro! A pesar de que amaba a todos, nadie le amaba a él.

Si alguien se hubiera acercado a verlo, hubiera notado la

cosa más extraña, su cara de trapo estaba destiñéndose. No, no era la lluvia, sino que aquel espantapájaros lloraba a solas todas las noches hasta empapar el suelo.

Un día, un viajero se encontró una alondra ciega y se le ocurrió dejarla en el brazo del espantapájaros. Pronto, entre ambos surgió una amistad y un amor, capaz de ser descubierto sólo por alguien que se ha enamorado con locura.

El espantapájaros le contaba cosas curiosas que hacían reír a la alondra y hacerle olvidar su ceguera. La alondra, a su vez, le platicaba de los verdes valles y las blancas montañas, de los ríos cantores y de las grandes ciudades y muchas otras cosas que había conocido en sus viajes, antes que un muchacho malvado, valiéndose de su escopeta, la dejara ciega.

En las noches la alondra se protegía del frío, acurrucándose entre el mullido hombro del espantapájaros y su cálida mejilla.

Una tarde, mientras la alondra dormía, el espantapájaros vio pasar a Cristo por el camino y le dijo:

—"Señor. Te pido que no pases de largo sin concederme un favor".

—"¿Qué quieres que haga por ti?". Le respondió Cristo.

—"¿Para mí?, nada, Señor. Pero sí quiero pedirte algo para mi amiga. Quiero pedirte, que por favor le concedas la vista. ¡Te pido que vuelva a ver!".

Nuestro Señor le dijo:

—"Pero... ¿sabes lo que estás pidiendo? Si esa alondra recobra la vista se asustará de verte y volará lejos de ti".

—"No importa Señor. Seré muy feliz si recobra la vista".

—"Será como has dicho".

Nuestro Señor se fue. A la mañana siguiente la alondra se despertó y al ver al espantapájaros huyó asustada de su feo amigo.

Por su parte, el espantapájaros siguió con sus ojos el vuelo de su blanca amiga hasta que se perdió en el azul cielo.

—"No me importa", dijo para sí el espantapájaros. Prefiero el bien de mi amiga. Aun así, no pudo evitar que algunas lágrimas rodaran por su mejilla".

Esta parábola ilustra lo que es el verdadero amor, es decir, desear el bien de la persona amada y no tenerla cautiva para buscar compensaciones afectivas.

Puede aplicarse a quienes viven un amor o una amistad que les hace daño, pero cuando se encuentran con Cristo descubren que el verdadero amor y la amistad implican en sí mismas exigencias dolorosas. Se aman y se quieren, pero su amor va contra las leyes inscritas en su misma naturaleza, como el amor entre el espantapájaros y la alondra. El verdadero amor, el amor puro, siempre busca el bien de la persona amada, por encima del beneficio propio, aunque esto implique la separación.

Pero ahí no termina la parábola. Nuestro Señor no dejó al espantapájaros sin recompensa. Lo convirtió en un enorme y frondoso árbol de recio tronco que se convirtió en el refugio favorito de todas las aves del valle por lo verde de sus hojas, por la espesura de su follaje y por la fuerza con la que resistió los embates del viento.

2

Alas para los pájaros

El mundo era muy diferente de lo que conocemos hoy en día. Hace mucho, pero mucho tiempo, cuando todavía no existían el Internet o todos los sistemas de video juegos; ni los radios y ni siquiera autos —porque aún no se había inventado la rueda—, ni podía ser inventada porque todavía no pisaba la tierra un "mono" con más de dos dedos de frente: el hombre, quien tendría la tarea de inventarla.

En aquellos tiempos, el mundo era muy diferente de lo que conocemos hoy en día. Los caballos eran del tamaño de los perros y los gatos; los helechos eran gigantescos como palmeras y las lagartijas, aunque no lo creas, eran del tamaño de los elefantes y tenían colmillos filosos. Entre la colección primordial de estos animalescos había tiranosaurios, dinos y brontosauros, como esos de plástico que vienen dentro de las cajas de cereales. Pero estos eran de verdad... enormes como rascacielos, aunque los seres más desgraciados de todos, eran las aves que, en aquellos tiempos, no pasaban de ser unos pobres bípedos sin alas.

¿Te imaginas? ¡Qué triste la vida de esos animalitos! ¡No

podían volar! y eran fácil presa de multitud de hambrientos de predadores que rondaban por aquellos exóticos parajes. Pero Dios —que es muy sabio—, no podía dejar las cosas de esa manera. Así que mandó reunir a todas las aves de la tierra y las llevó a un gran hangar. Ahí había alas de todos tamaños y colores.

Entonces, con tono solemne, dios Dijo a la emplumada multitud:

—"Quiero hacerles un regalo. Voy a dar a cada una de ustedes un par de alas. Indudablemente, éstas tendrán que cargarlas toda la vida, así que piensen bien antes de decidirse, porque después no podré cambiárselas; escojan el par que más les guste".

El avestruz, que era la más grande de todas las aves, tuvo el honor de ser la primera en escoger. Pensó así: "¿Para qué querrá Dios que andemos cargando toda la vida con esas cosas si ya tenemos dificultad en correr con suficiente rapidez para escapar de las fieras?; van a ser nada más un fardo molesto, pero, en fin, no quiero dar mal ejemplo despreciando los dones de Dios y, para complacerlo, voy a escoger un par de ellas, pero voy a procurar que sean lo más pequeñas posible". Con esta idea en la cabeza se decidió por el par de alas más pequeño que encontró; se las colocó encima y saliendo, las empezó a mover y dijo: "¡Ya sabía que esto no sirve para nada, pero en fin..."! Y se marchó caminando.

Después le tocó en turno a la gallina y dijo: "¿Alas? Pero... ¡qué molestia! Para qué necesito unas alas si así estoy muy a gusto. No creo que me ayuden mucho para encontrar más gusanos, pero, en fin, no quiero disgustar a Dios, voy a escoger unas, ni muy largas ni muy cortas, de talla mediana". La gallina tomó pues, un par de alas, las más cómodas que encontró y se las puso. Cuando salió comenzó a moverlas y sintió que podía saltar un poco y suspirando dijo: "¡Bueno!", al menos ahora podré saltar al palo más alto y huir de las zorras".

La tercera ave en escoger su par de alas fue el águila. Sin embargo, antes de decidirse reflexionó así: "¿Por qué Dios nos querrá dar esto? Dios es bueno y es mi creador, por tanto, sus regalos deben ser para nuestro bien. Aunque ahora no lo entienda y me parezca algo molesto, voy agarrar el par de alas más grande que pueda cargar".

Se decidió por las alas más grandes que podía cargar y salió arrastrándolas, pues aún no sabía para qué servían, ni cómo usarlas. Las demás aves que esperaban en línea se reían de ella, pues en verdad, se veía demasiado ridícula. Cuando salió, estaba tratando de acomodarse aquellas pesadas alas y notó con asombro que al mover las alas el viento levantaba las plumas de su pecho. Las volvió a mover, y le pareció sentir que el peso de su cuerpo disminuía; las movió de nuevo, pero esta vez con un movimiento rítmico y ondulatorio. Así, comprobó una cosa maravillosa: su cuerpo empezaba a flotar. Movió las alas con más fuerza, y ante el asombro de todas las demás aves, el águila se elevó al cielo haciendo círculos cada vez más grandes hasta perderse de vista. Todas las demás aves, al ver al águila volar, siguieron su ejemplo y escogieron el par de alas más grande que cada una podía cargar.

Esta fábula nos enseña lo que es la vida cristiana y la libertad. El hombre y la mujer han sido creados para elevarse constantemente, para volar a las alturas, para elevarse por encima de las cosas ordinarias que presenta el mundo material. Para lograrlo, Dios te ofrece opciones, pero, eres tú quien elige lo más fácil como el avestruz, lo más cómodo como la gallina o lo más

osado como el águila.

Para elevarnos a las alturas, nuestro creador nos ofrece las alas de su Evangelio. Unas personas, al igual que el avestruz lo arrastran como un fardo pesado y en eso se convierte; otras, como la gallina, viven el Evangelio a medias y no se acuerdan de él más que cuando hay emergencias. Pero sólo si lo calamos a fondo, como el águila, nos llenará de alegría y entusiasmo. Y, entre mejor lo vivamos, más ligero y suave nos parecerá y nos impulsará constantemente hacia lo más elevado, hacia lo mejor, a la plenitud de la vida.

Por cierto, se me olvidaba mencionar que el pingüino no le dio mucha importancia al asunto y, por llegar tarde a la repartición, sólo le tocó un par de aletas. Por tanto, cuando Dios te proponga algo, procura responderle al instante y ser de los primeros en responder a su invitación o su mandato.

3

Piel de Oso

Había una vez un joven que se había enlistado en el ejército donde siempre se había comportado valerosamente, aún en medio de los embates del enemigo. Era aguerrido, de avanzada y llevaba su divisa siempre brillante, su casco bien puesto y, en todo momento, su rifle de alta precisión, listo para poner en la mira a cualquier enemigo.

Cuando terminó la guerra regresó a su patria victorioso; marchó por las calles cubiertas de confeti con paso firme, su mirada brillante, las botas lustradas y el pecho erguido.

Su retorno a casa fue un suceso para todo el barrio. Su familia lo recibió con alegría y orgullo. Pero pasó el tiempo y les empezó a fastidiar aquel soldado que no sabía hacer nada más que contar las historias de sus aventuras. Sus hermanos pronto se hartaron de tenerlo en casa y le dijeron:

—"No sabemos qué hacer contigo, aquí en casa nos estorbas. ¿Por qué no te marchas y buscas a alguien más que quiera oír tus historias y te mantenga?".

El soldado se puso de pie, les miró a los ojos un momento,

tomó su fusil y se marchó de casa sin decir adiós.

Al poco tiempo se encontró caminando por un sendero solitario en medio de un inmenso valle y decidió sentarse bajo la sombra de una retorcida encina, para darse tiempo de reflexionar en torno a lo que quería hacer con su vida. Al atardecer estaba todavía recostado en el tronco de un frondoso árbol, cuando de repente, como salido de la nada, vio delante de sí a un extraño personaje. Estaba vestido como un gran señor. Tenía puesta una capa verde de terciopelo brillante y cuello alto, como la de un rey. Llevaba puesto un sombrero elegante, de copa, y guantes blancos en las manos. Sin embargo, había algo extraño, muy extraño en aquel individuo. Sí, bajo el sombrero se veían salir dos cuernos y los pies parecían más bien las velludas pezuñas de un carnero. No quedaba duda, se trataba del mismísimo diablo.

Entonces con voz ronca y tenebrosa el extraño le dijo:

—Sé qué es lo que te aflige, mi querido amigo. Y en mis manos está la solución. Te daré dinero y toda la riqueza que desees. No obstante, primero quiero saber si eres un sin miedo, pues no quiero perder inútilmente mi dinero.

—"¿Ser yo un solado miedoso? Pero, ¿cómo se te ocurre que eso pueda combinarse? Las medallas que llevo en el uniforme no me las dieron por mi buena conducta en la escuela, sino por mi valor en la batalla". Entonces, se desabrochó la camisa y le mostró una enorme cicatriz que llevaba en el pecho. "Pero, si lo deseas puedes ponerme a prueba".

—"Bueno", -dijo el diablo-. "¡Mira a quién tienes a tus espaldas!". El soldado volteó y vio cómo de entre las sombras salía un enorme oso pardo, el temido grizzli de los Alpes, que bufando y gruñendo con grandes zarpazos se abalanzaba hacia él.

—"¡Oh!" -exclamó el soldado sin inmutarse-. "Se ve que no te bastaron las zarzamoras para llenar tu barriga, pues entonces aquí tienes unas "zarzamoras de plomo", para que dejes de gruñir". Cuando el osezno estaba a sólo unos metros de él, con un movimiento rápido y preciso lo puso en la mira, "¡pum!" "¡pum!" y la masa peluda cayó rodando hasta sus pies.

—"Veo que no te falta valentía -observó don Sata-, pero es necesaria otra condición".

—"Si no daña mi salvación eterna..." - respondió el soldado que bien sabía a quién tenía enfrente-. "Ninguna cosa me hará temblar".

—"Ya lo veremos" -respondió el cuernudo-. "Durante siete años, no podrás lavarte ni peinarte, ni cortarte los cabellos ni las uñas, ni decir un "Padrenuestro". Te daré una vieja gabardina verde que deberás llevar todo este tiempo. Si mueres en estos siete años, serás mi esclavo. Pero si logras permanecer vivo, te daré mi capa y serás libre y rico hasta el fin de tu vida".

El diablo le entregó la gabardina verde al soldado y añadió:

—"Con esta gabardina puesta, si metes la mano en el bolsillo, lo encontrarás siempre lleno de dinero".

Luego desolló al oso y le dijo:

—"Esta piel será tu lecho, sobre ella y sobre nada más deberás dormir. Y por esto te llamarás: "Piel de Oso", y diciendo esto, desapareció en una explosión de azufre.

El soldado se puso la gabardina verde, metió la mano en el bolsillo y se encontró con que todo era como el diablo había prometido. Enrolló la piel de oso, se la echó a la espalda y se fue a vagar por el mundo.

El primer año no fue muy difícil pero, al final, ya parecía

un monstruo, el pelo le cubría todo el rostro; la barba sucia y enmarañada parecía un mechón de trapeador. De sus dedos salían las uñas como garfios, en las arrugas de sus mejillas había tanta tierra que si cayera una semilla hubiera germinado. Hasta el mismo Rasputín hubiera parecido un dandy a su lado.

Todos le temían y se escondían al verlo, sin embargo él daba de su dinero a los pobres. Les pedía que rezaran por él para que no muriera durante los siete años y como pagaba muy bien, siempre conseguía algún alojamiento en las posadas.

Era ya el cuarto año cuando llegó a una posada y el posadero no le quería dar alojo ni siquiera en el establo, pues de seguro espantaría a los caballos. Pero cuando Piel de Oso le mostró varias monedas de oro, el posadero consintió en darle un pequeño cuarto en la parte trasera de la casa, con tal que no se dejara ver por nadie para no desacreditar la posada.

Aquella tarde, mientras estaba en su pequeño cuarto, deseando con toda el alma que se acabaran pronto los siete años, pues su vida era cada día más insoportable, escuchó que alguien lloraba en la habitación vecina.

Decidió averiguar qué sucedía y abrió la puerta de la habitación contigua y se encontró a un anciano que lloraba. El anciano, al verlo, sintió que se le paralizaba el corazón y lleno de espanto trató de saltar por la ventana. Pero Piel de Oso le habló con voz amable y serena, preguntándole cuál era la causa de su pena. Pasado el primer susto, poco a poco se tranquilizó el anciano, aunque guardó una discreta distancia y se quedó junto a la ventana, por si acaso.

Ante las palabras amigables por fin le contó su pena. Lo había perdido todo y había quedado reducido por la suerte en la miseria; era tan pobre que no tenía para pagar su hospedaje y al día siguiente vendría la policía para meterlo en la prisión.

—“Si no tiene ninguna otra preocupación —dijo Piel de Oso-, creo que puedo resolver su problema” y, metiendo la mano en su gabardina, le entregó una bolsa llena de monedas de oro.

El viejo, al sentirse liberado de su angustia de una manera tan providencial no sabía como mostrar su gratitud.

—“Ven conmigo, a mi casa, -le dijo-. Tengo tres hijas que son un milagro de belleza; te daré una como esposa. Cuando sepan lo que has hecho por mí no se negarán, aunque en verdad, tienes un olor bastante fuerte y aspecto horripilante pero..., no te preocupes, que ellas te dejarán como nuevo”.

Cuando la hija mayor salió a abrir la puerta, al ver aquel esperpento, pegó un grito que hizo temblar toda la casa. Subió corriendo las escaleras y se encerró en su cuarto.

El viejo dijo:

—“Me parece que la impresionaste”.

La segunda hija se le quedó viendo de arriba abajo y dijo a su padre:

—“¿Cómo esperas que me case con este monstruo?”.

Cuando se lo presentó a la hija menor, ésta dijo:

—“Querido papá, si este señor te ha ayudado en un momento de desventura y tú a cambio le has hecho una promesa, es necesario mantener la palabra”.

Fue una lástima que el rostro de Piel de Oso estuviera cubierto de mugre y de una maraña de cabellos porque, de no ser así, lo hubieran visto sonreír al escuchar aquellas palabras. Entonces Piel de Oso, tomó el anillo de su mano, lo partió en partes iguales, con un punzón de hierro puso el nombre de la hija en una parte y en la otra su nombre y se lo dio indicándole que no lo fuera a perder, y añadió:

—"Tengo aun tres años por peregrinar, si no regreso es que he muerto y quedas libre para casarte con quien desees. Pide a Dios que me conserve la vida".

La novia desde entonces se vistió de negro y, cada vez que pensaba en su futuro esposo, le escurrían las lágrimas por las mejillas.

Sus hermanas se burlaban de ella:

—"¡Debes tener mucho cuidado cuando te de la mano, no te vaya a dar un zarpazo!".

La otra le decía:

—"Recuerda que a los osos le gusta la miel, así que no te pongas dulce porque te come. Deberás hacer todo lo que él dice, si no te va a gruñir".

—"Tienes suerte -añadieron en coro-, porque en tu fiesta de bodas no te vas a aburrir pues los osos bailan muy bien".

Mientras tanto, Piel de Oso seguía vagando por el mundo de un lado a otro tratando de hacer el mayor bien que podía a los pobres para que rezaran por su salvación. Esto el diablo no lo había previsto, él estaba seguro que aquel soldado se gastaría el dinero en mujeres, vicios y borracheras y aquello le hacía irritar. Pues aunque él había tratado de que muriera con rayos y calamidades, siempre había algo sobrenatural que lo libraba de los peligros y acechanzas.

Por fin llegó el final del séptimo año y Piel de Oso regresó al árbol del valle donde se había encontrado al diablo. No pasó mucho tiempo cuando se oyó el silbido del viento y en medio de una explosión de humo apareció el diablo.

—"¡Piel de Oso!", le dijo al diablo.

—"He ganado la apuesta. Aquí tienes tu gabardina y tu mugrosa piel de oso y me debes dar tu capa. Pero... un momento, no te vayas, ahora me tienes que cortar el pelo, peinarme y cortarme las uñas".

Y entonces Piel de Oso volvió a tomar el aspecto de antes, viéndose aún más gallardo y apuesto. Cuando se fue el diablo, Piel de Oso se dirigió al pueblo, compró un caballo y fue a buscar a su prometida.

Cuando llegó a la casa de su prometida, como era de esperarse, nadie lo reconoció y se presentó como si fuera un viajero de paso. El padre creyó que era algún general, así que lo invitó a comer y lo sentó en el lugar de honor con las dos hijas mayores sentadas a su lado, quienes le sirvieron lo mejor de la comida y del vino. Pero la pequeña, vestida de negro, con la cara baja, no decía nada sentada al borde de la mesa

Entonces el joven le preguntó al padre si estaría dispuesto a darle una de sus hijas por esposa. Las dos hijas mayores subieron a su recámara a arreglarse, queriendo ser cada una de ellas la elegida, la pequeña, permaneció sentada en la mesa. Mientras estaba distraída, Piel de Oso tomó la mitad del anillo y lo puso en la copa de vino de la pequeña. Cuando bajaron las otras arregladas, decidieron brindar por aquel feliz encuentro y la pequeña al beber notó aquel extraño pedazo de metal en su copa, le empezó a latir fuertemente el corazón, tomó aquel trozo de anillo y lo juntó con la otra mitad que llevaba atada con una cadena al cuello y descubrió que los dos combinaban perfectamente.

Entonces Piel de Oso le dijo:

—"Yo soy tu prometido. Tú me has visto cuando era Piel de Oso, pero por la gracia de Dios he recobrado mi anterior figura de hombre y he vuelto a cumplir mi promesa".

Las otras hijas al ver como aquel joven se levantaba para abrazar a la pequeña, se llenaron de envidia, se fueron de la casa y por un buen tiempo nadie supo de ellas.

Muchas moralejas podemos sacar de aquí y la primera es que aquel soldado, aunque no era muy religioso, tenía un principio que nunca transgredía: nada que pueda dañar mi alma. Además, en vez de usar el dinero para juergas y parrandas, como hubieran hecho otras personas, lo usó para hacer el bien a los demás y Dios nunca olvida las cosas buenas que hacemos.

Es de admirar, y casi parece de fábula, la actitud de la joven que ante aquel hombre horroroso, haya dicho que sí sólo por cumplir con una promesa que su padre había hecho. Esto es lo que hace que la historia nos parezca de fábula porque, en estos tiempos, son pocos los que están dispuestos permanecer siempre fieles a su palabra. Pero no hay que olvidar que el éxito del matrimonio está en esto: en la fidelidad a la palabra dada a otra persona, teniendo a Dios por testigo y por eso, estos dos jóvenes fueron felices.

4

El caballito de mar

Si quieres triunfar en la vida, recuerda esta fábula.

Había una vez un caballito de mar que estaba cansado de que los mayores estuvieran diciéndole siempre lo que tenía que hacer. Ya no era un bebé, sabía lo que hacía y quería ser libre. Así que tomó consigo lo que había ahorrado en la alcancía, puso en un hatillo todos sus haberes y se marchó a buscar fortuna.

Llevaba mucho camino recorrido entre verdes algas y corales blancos, cuando se encontró a una blanca esponja marina que echaba chorros de burbujas por sus millares de poros.

La esponja le preguntó:

—"¿A dónde vas caballito de mar?".

—"A buscar fortuna".

—"¡Ah! ¿Sí? Pues ¡Qué suerte tienes de haberme encontrado! Fíjate que tengo dos propulsores estupendos, si me los compras, con ellos podrás llegar más rápido a tu destino".

El caballito de mar le compró a la esponja marina los propulsores y siguió raudo su viaje.

Al poco tiempo se encontró con un pulpo gris, que estaba

abrazado a una roca con sus grandes y gelatinosos tentáculos.

El pulpo le dijo:

—"Caballito de mar, ¿adónde te diriges tan de prisa?"

—"Voy a buscar fortuna señor pulpo".

—"¡¿No me digas?! Se ve que eres un tipo afortunado -respondió el pulpo-; justamente ahora tengo aquí unas ventosas especiales con las que te podrás adherir como rémora a cualquier pez que pase y así llegar a donde quieres sin esfuerzo alguno".

—"Magnífico dijo el caballito de mar, que estaba siempre dispuesto a pagar cualquier precio por todo aquello que le ahorrase esfuerzo. Véndeme una... ¡No! -se corrigió-, mejor dos, de las mejores ventosas que tengas".

El caballito de mar continuó su camino, esta vez, a lomo del pez que mejor le parecía y cambiando de transporte cuando le gustaba.

Más tarde se encontró con un pez volador y el pez volador le dijo:

—"¿A dónde vas caballito de mar?".

—"Voy en busca de fortuna".

—"¿Y has encontrado algo?".

—"Aún no, pero espero hallarla pronto".

—"Sin duda -dijo el pez volador-, yo puedo ofrecerte algo que te ayudará a encontrarla aún más pronto y que nadie más te podrá ofrecer".

—"Y ¿qué es eso que nadie más me puede ofrecer?".

—"Pues este par de aletas con las que podrás volar por encima del agua y saltar, de ola en ola, hasta llegar a tu destino".

El caballito compró las aletas y prosiguió su camino, saltando alegremente entre la espuma de las olas.

Estaba ya cansado de tanto viajar cuando se encontró con un tiburón.

—"¿A dónde vas caballito de mar?".

—"Voy a buscar fortuna señor tiburón, pero ya estoy un poco cansado y aun no he encontrado nada".

—"¡Qué suerte tienes amigo!", dijo el tiburón. "Conozco un atajo que te ahorrará un buen trecho", y abriendo su enorme boca, señaló hacia adentro.

—"Muchas gracias señor tiburón" -expresó el caballito de mar-, y sin pensarlo un momento entró directo en la boca del tiburón.

Si caminas en la vida sin saber a dónde vas, terminarás en el lugar que no quisieras.

El caballito de mar representa a esos jóvenes que quieren hacer lo que les viene en gana pero que, en definitiva, no saben qué hacer con su vida y, en vez de dejarse guiar y dirigir, se lanzan tras lo que les parece más cómodo y divertido. Quieren correr más de prisa, avanzar más rápido sin jamás detenerse a pensar en el fin que persiguen. A los 10 años dejan de obedecer, a los 15 de estudiar, a los 17 quieren probarlo todo, a los 18 quieren casarse, a los 20 divorciarse y a los 21, si acaso llegan, suicidarse.

Tomar decisiones sin pensar en las consecuencias es meterse en la boca del tiburón y después es imposible volver atrás.

5
El hilo encantado

Máximo era un joven en verdad extraño: le gustaba enormemente soñar con los ojos abiertos. Sobre todo en la escuela, cuando la lección presente parecía aburrirle.

El maestro lo consideraba un joven inteligente, pero sin capacidad de esfuerzo, un tipo comodón y desganado. Un día, viéndolo sentado en su pupitre con la mirada perdida, le preguntó:

—"Maxi, ¿en qué estás pensando? ¿Por qué no pones atención en clase?".

—"Estoy tratando de imaginarme lo que seré de grande", respondió el joven.

—"Eso no está bien -le replicó el maestro-, trata de gozar de esta edad maravillosa y sin preocupaciones, deja que los años de la juventud pasen lentamente".

Pero Máximo no lograba entender las palabras del maestro. A él no le gustaba esperar. De hecho le sucedía que cuando era invierno y patinaba sobre el hielo, ansiaba que llegara la primavera para poder nadar, y cuando llegaba la primavera, deseaba que fuera verano para poder ir a volar su cometa en el parque público.

Máximo tenía una amiga, María, un poco más pequeña que él, que vivía enfrente de su casa. Cuando la veía llegar corriendo con sus cabellos rubios y sus ojos azules siempre sonrientes, Máximo pensaba: "Cuando sea grande quiero casarme con ella... ¿Por qué no soy grande ya?". En pocas palabras si alguien le preguntaba a Máximo qué era lo que más deseaba, respondía con firmeza: "Yo quiero que pase el tiempo rápido".

Cierto día de verano, muy caluroso, estaba sentado en una banca del parque, cuando sin saber de dónde, apareció de pronto, a su lado, una viejecita de cabellos de plata y mirada dulce. La viejita le enseñó a Máximo una pequeña cajita de plata que tenía un pequeño orificio por donde salía un hilo de oro.

—"Mira Máximo -le dijo-, este delgado hilo, es el hilo de tu vida. Si de verdad quieres que el tiempo transcurra rápidamente para ti, lo único que tienes que hacer es jalar un poco del hilo. Un pequeñísimo trozo corresponde a una hora de vida, solamente cuida de no decir a nadie que posees esta cajita, pues entonces morirías. Guárdala y buena suerte".

La viejita le dejó la cajita y desapareció. Máximo se echó la cajita al bolsillo y regresó a casa dando saltos de alegría. Al día siguiente, en la escuela, el maestro se dio cuenta de que Máximo estaba más distraído que de costumbre y le puso los puntos sobre las íes:

—"¡Ahí estás, como siempre, con la cabeza en las nubes! Si sigues así, puedo garantizarte que reprobarás".

Máximo estaba cansado de escuchar reprimendas y decidió usar del hilo mágico para acortar la jornada de la escuela. Casi no había día en que Máximo no jalase el hilito un poco. De esta manera, apenas entraba a la escuela, cuando escuchaba al maestro decir: “Se acabaron las clases. Pueden irse a casa”. El joven estaba feliz. La vida se convirtió para él en una sucesión de días de vacación y de juegos al aire libre.

Sin embargo, después de algún tiempo, Máximo comenzó a aburrirse y pensó:

—“¡Ah!, cómo me gustaría terminar ya la escuela y poder trabajar”.

Una noche sucedió que no podía dormir y Máximo decidió darle una buena jalada al hilo y así, a la mañana siguiente se encontró con que tenía bigote, era ingeniero y tenía un puesto importante en una gran fábrica. Estaba muy contento, y, esta vez, tiró del hilo tan sólo lo suficiente para que llegara el fin de mes y le pagaran el sueldo.

Fue por ese tiempo cuando se acordó de María. Telefoneó a varios de sus amigos y conocidos hasta que la encontró. Se había convertido en una hermosa y esbelta señorita. Máximo se armó de valor y le preguntó:

—“María ¿Te quieres casar conmigo? Mira que ya he asentado cabeza y tengo una buena posición”.

María, sonriendo, le respondió que sí, pero cuando fueron a notificar a sus papás, estos le respondieron con firmeza:

—“Aun son muy jóvenes y apenas se conocen, así que tendrán que esperar un año por lo menos”. La chica se puso muy triste, pero el joven la consoló diciéndole con la sonrisa en los labios:

—“No te preocupes María, verás como este año pasará volando”.

En efecto, el año pasó en un abrir y cerrar de ojos gracias al hilo mágico. Cada tarde tiraba fuera un trozo del hilo mágico. Faltaba apenas un mes para la boda cuando le llegó a Máximo por correo un sobre oficial del gobierno: Máximo tenía que hacer el servicio militar. No había escapatoria, así que se despidió de todos con lágrimas en los ojos y sobre todo de su amada María, que lloraba más que él.

A los pocos días de haberse incorporado al regimiento, Máximo se sintió invadido de una nostalgia tremenda, le dio un buen jalón al hilo mágico y se encontró en un instante en casa y en vísperas de la boda. Fue una boda muy hermosa pero hubo algo que turbó a Máximo: su joven madre se veía ahora envejecida, encorvada y con el pelo blanco. Se arrepintió entonces de haber jalado el hilo con tanta frecuencia y prometió que jamás volvería a jalarlo.

Mantuvo su promesa por un par de años pero, un día, María le anunció con una gran sonrisa que estaba esperando un bebé. "Esperar" era un verbo que a Máximo jamás le había gustado. No supo resistir la tentación sacó la cajita de plata del cajón y comenzó a jalar el hilo casi cada día. Una tarde jaló más de lo debido y al día siguiente se encontró con que ya tenía canas y uno de sus hijos iba a preparatoria y otro a universidad.

Y así todo comenzó como al principio. Cada vez que se le presentaba un problema, Máximo jalaba del hilo para resolverlo rápidamente: cuando los negocios iban mal, cuando alguien estaba enfermo, y hasta cuando quería saber como iba a terminar el campeonato de fútbol o la telenovela.

Una mañana Máximo se miró al espejo y descubrió que tenía los cabellos blancos. Se sentía cansado e insatisfecho. Sus hijos ya se habían ido de casa y su esposa, ¡madre mía, cómo había envejecido también ella!

María, por su parte, no lograba entender cómo ella y su marido no tenían casi nada que recordar de la vida pasada juntos.

—"¿Te parece también a ti que todo ha pasado como un soplo? -le preguntaba ella-, ¿cómo es que nuestros hijos han crecido tan de prisa?".

Máximo no podía responder y se sentía muy triste. Ya eran dos ancianos, llenos de achaques, y los días eran más largos que nunca. Pero ahora cuidaba de no jalar más del hilo mágico.

Un día dormitando en el parque, en la banca acostumbrada, el viejo Máximo escuchó que le llamaban. Abrió los ojos y vio a la viejita que hacía muchos años le había regalado la cajita de plata con el hilo mágico.

—"¿Qué tal mi querido Máximo, cómo te ha ido? ¿El hilo mágico te ha otorgado la vida feliz que tanto anhelabas?".

—"No lo sé, respondió. Gracias al hilo mágico no he tenido que preocuparme ni sufrir mucho en la vida, pero ahora me doy cuenta de que todo ha pasado tan de prisa y aquí me tienes anciano y débil"...

—"¿Ah sí?, dijo la anciana. Y ¿qué es lo que ahora te gustaría?"

—"Me gustaría volver a vivir mi vida sin el hilo mágico, vivir como todas la demás personas y aceptar todo lo que la vida me depare, sin jamás ser impaciente".

—"¿Quieres eso de verdad?".

—"Sí, respondió Máximo sin vacilar. Todo esto que he pasado me ha servido de lección y estoy seguro de que no cometeré los mismos errores".

—"Si es así, estoy muy contenta de haberte ayudado a comprender una gran virtud: la paciencia. Verás que ahora disfrutarás mejor de la vida, incluso en los momentos de fatiga y sufrimiento que sin duda encontrarás en tu camino. Lo único que tienes que hacer es entregarme la cajita de plata que te di".

Pero al buscarse en los bolsillos Máximo descubrió con horror que la había perdido.

¡Qué triste es saber que hay muchas personas que, como Máximo se entregan a la actividad frenética! Viven preocupadas de gozar de todo y rehuyendo lo que comporta esfuerzo y sacrificio, buscando más los beneficios inmediatos, que ir construyendo ladrillo a ladrillo su futuro. Para que en el atardecer cansado de tu vida no te encuentres con las manos vacías, aprovecha el momento presente, sirviendo a Dios y haciendo el bien a tus hermanos. No hay marcha atrás en la vida.

En nuestro tiempo, hay muchos jóvenes, sobre todo, que creen que la vida verdadera está en el goce ilimitado de todos los placeres y en la huida a los sacrificios. A ellos dedico esta parábola de Bruno Ferreiro.

6

La muñeca de sal

Érase que se era, una muñeca de sal, tan blanca y reluciente, que parecía cristal.

Se sentía triste y sola, porque no había en el mundo nadie como ella; era única y original. Y se preguntaba sin cesar: "¿Por qué soy así?", "¿Por qué soy una muñeca de sal?", "¿De dónde salí?", y escuchó una voz que le decía: "Tú vienes del mar".

Al escuchar aquello, la muñeca de sal se sintió llena de felicidad: "¡Yo vengo del mar!", "¡Tengo que encontrar el mar!".

Entonces, decidida emprendió su búsqueda y subió hasta la blanca cumbre de la montaña y preguntó:

—"Señora montaña, tú eres blanca como yo, ¿eres tú el mar?".

—"¡No!", le respondió con ronca voz la montaña. "Yo no soy el mar, el mar se mueve y yo aquí me quedo siempre en el mismo lugar".

La muñeca de sal bajó entonces al río y le preguntó:

—"Amigo río, tú que saltas bullicioso y te mueves y escurres por valles y montañas, ¿eres tú el mar?". "¡No!", le respondió con un suave murmullo el río: "El mar es amplio y ondulado, yo no soy el mar".

La muñeca de sal bajó a la llanura y contempló cómo ondulaba con el viento el dorado trigal y le dijo al trigal:

—"Querido trigal, ¡qué hermoso es tu rizado manto de oro!, ¿Eres tú... eres tú el mar?".

—"¡No!" -le dijo el trigal-. "El mar es inmenso, yo no soy el mar".

La muñeca de sal continuó su búsqueda hasta que llegó al desierto, en cuanto pisó la arena sintió agradables cosquillas en los pies, y le dijo al desierto:

—"Señor desierto, usted es inmenso y ondulado... Usted es de arena, y yo de arena de sal. ¿Es usted acaso el mar?".

—"¡Por supuesto que no!, respondió el desierto con un bufido que levantó un remolino de arena. "¿Cómo se te ocurre, niña, que yo pueda ser el mar? Yo soy callado, amarillo y seco, el mar en cambio es húmedo, azul y de ronca voz. Yo no soy el mar".

La pequeña muñeca siguió su largo peregrinar por el árido desierto hasta que llegó al mar, y al ver aquella móvil masa de agua, azul e infinita, que se rompía en blanca espuma a lo largo de la playa, la dura muñeca de sal sintió una emoción inexplicable.

Ahí de pie sobre la suave arena con asombro contempló aquello que tenía enfrente y no podía comprender: ella era dura, el mar era suave; ella era pequeña, el mar era inmenso; ella era blanca, el mar era azul. De repente, sin saber cómo, se dio cuenta de qué era aquello que le había causado esa profunda, indecible emoción: ¡La brisa! Sí era la brisa que tenía un olor inconfundible... ¡a sal!

Entonces tímida preguntó al mar:

—"Dime ¿quién eres?".

—"¿Yo? Yo soy el mar".

—"Y, ¿qué cosa es el mar?".

—"El mar soy yo".

—"No entiendo, pero quisiera entenderlo. ¿Qué puedo hacer?"

—"Es muy fácil, le dijo el mar. Ven, acércate y tócame".

La muñeca de sal avanzó tímidamente sobre la húmeda arena de la playa. De repente una ola se levantó, reventó espumosa y se fue arrastrando hasta tocar suavemente sus pies. La muñeca de sal empezó a sentir algo extraño miró a sus pies y vio con horror que se estaban disolviendo.

—"¿Por qué han desaparecido mis pies?", preguntó asustada.

—"Porque yo soy el mar".

—"Todavía no entiendo", replicó la muñeca. "¿Qué cosa es el mar?".

—"Acércate más y lo sabrás".

La muñeca avanzó y volvió a preguntar:

—"¿Qué cosa es el mar?".

En ese instante una ola la cubrió y se escuchó la voz de la muñeca entre el rumor las olas que decía: "Ya entiendo, el mar... el mar, soy yo".

Esta fábula budista podemos aplicarla a nosotros mismos. Cada uno de nosotros somos únicos, irrepetibles. No hay nadie como yo, cada uno de nosotros es como esa muñeca de sal.

Así, aparecemos en este mundo, sin que nadie nos hubiera pedido nuestra opinión. A veces creemos que la vida no tiene sentido y estamos turbados e inquietos hasta que no descubrimos nuestro origen y destino.

No está por demás aclarar que no creemos que las criaturas sean parte de Dios como los budistas, pero la parábola sigue siendo válida al reflejar la inquietud que todos tenemos de encontrar nuestro lugar en el mundo y darle sentido de nuestra vida. Dios es nuestro creador, de Él salimos, y a Él volvemos; y nuestro espíritu anhela encontrarlo a Él.

Todas las personas buscan su destino. No obstante, algunas se quedan en la montaña del orgullo; otras son arrastradas por los ríos violentos y desbordados del placer. Algunas se encandilan con el trigal de sus riquezas, las últimas se pierden en el desierto de una vida estéril y el dolor sin sentido. Y las demás, las que siguen buscando, son las que encuentran a Dios y pueden decir como san Pablo: "Ya no vivo yo, sino que Cristo vive en mí". (Gálatas 2:20)

7
La araña malhumorada

Era una cristalina y fresca mañana de primavera cuando, una pequeña araña que había nacido entre las verdes ramas de un frondoso árbol, decidió que ya era tiempo de ponerse a cazar por sí misma su alimento.

Miró hacia abajo y el prado parecía un tapiz bordado de flores blancas y amarillas. Y observó que, justo debajo de ella se encontraba un pequeño y recio arbusto. Le pareció que sería un buen sitio para amarrar su tela. Decidió entonces descender hasta ahí y se fue descolgando, poco a poco, usando un fuerte hilo brillante como la plata.

El viento la mecía suavemente, hasta que por fin llegó al arbusto. Observó que había ahí un lugar donde dos pequeñas ramas levantaban sus brazos; ese era un sitio excelente pues el sol salía justo a sus espaldas y los mosquitos serían atraídos por el resplandor de las mañanas.

La arañita se dedicó con entusiasmo a la tarea, comenzó a construir la tela con gran ingenio. Trabajó con tanto empeño que no tardó mucho en tenerla terminada. ¡Era bellísima! Parecía estar tejida con hilo de plata, con encantadores reflejos. Más bella aún parecía en la madrugada cuando se cubría de mil perlas de rocío. Ninguna reina tuvo jamás tan hermoso palacio.

El sitio resultó estupendo y estaba orgullosa de su abundante cacería, especialmente los raros y suculentos mosquitos de panza azul y las brillantes y jugosas moscas verdes. La araña creció y engordó mucho con ese rico alimento; se sentía muy ufana y feliz en su tela de plata.

No obstante, una mañana gris, otoñal, la araña se levantó de mal humor, el cielo cargado y plomizo no hacía presagiar cosa buena. Efectivamente, recorrió la tela, no halló ni siquiera un diminuto mosquito, nada. Entonces, para matar el tiempo y engañar al estómago hambriento, se puso a inspeccionar cuidadosamente todas las dependencias de su regia morada.

Acá apretaba un nudo, por ahí templaba un hilo; más allá reparaba una falla o reforzaba una orilla descompuesta. Fue entonces cuando notó algo extraño, un misterioso hilo largo, muy largo que parecía venir del cielo. ¿Qué estaba haciendo ahí? La araña no estaba para bromas y aquel extraño hilo, tosco y grueso, le pareció que afeaba todo su castillo. ¡Abajo el hilo!, dijo, y de un tajo lo cortó. ¡Nunca lo hubiera hecho! Tras aquel golpe necio, toda la tela se desplomó y la pobre araña, prisionera de sí misma, como envuelta en un húmedo y sucio andrajo cayó pesadamente en el suelo y fue sabrosa presa de un lagarto que pasaba por ahí.

Todo esto sucedió debido a un momento de mal humor incontrolado y haber olvidado que una luminosa mañana de primavera, había bajado apoyada, en aquel recio hilo, que era el sostén de su morada y de su vida.

Nunca tomes decisiones importantes cuando te hierven las pasiones por dentro, porque, de hacerlo, te arrepentirás toda la vida.

Ese hilo representa todo aquello que nos une a Dios, la vida de gracia, la oración y sobre todo, la fe. Ese hilo es lo que sostiene la unidad, la paz y la concordia de un hogar; ese hilo es lo que le da sentido a nuestra vida, si lo rompes, te rompes.

8
La tierra que basta

Un rico hacendado que poseía grandísimas extensiones de tierra, llamó al más humilde de sus trabajadores, a quien estimaba por ser esforzado y fiel. Era uno de los que más tiempo llevaban trabajando con él, y le dijo:

—"Quiero premiarte por tu larga fidelidad. Tendrás toda la tierra que quieras. Todo el terreno que logres atravesar mañana, desde el inicio del alba hasta la puesta del sol será tuyo".

A aquel pobre hombre, que siempre había vivido en una choza miserable y no tenía ni un corral para sus gallinas, le parecía estar soñando. Aquella noche no durmió por el ansia de la interminable espera. No había llegado el alba cuando ya estaba en camino; no quería perder ni un minuto de aquel día tan precioso, cada dos pasos que daba era un metro cuadrado que ganaba. Los metros se hacían kilómetros, los kilómetros, millas.

¿Cuántas millas habría recorrido antes de que el sol saliera? No lo sabía; debían ser muchas, pero no, aquello no bastaba; él quería ganar las más que podía, así que corría y corría. Jamás en su vida había corrido igual, ni siquiera en los años de su juventud.

El rocío del pasto le humedecía sus sandalias, el aire fresco le golpeaba la frente ardiente.

El rojo e intenso sol comenzó a asomarse a lo lejos; ahora corría sobre una colina y, sin detenerse, volteaba a izquierda y derecha para contemplar con ávidos ojos aquella hermosa tierra que esa misma tarde iba a ser suya, de sus hijos y de los hijos de sus hijos.

Al medio día, el sol quemaba y empezó a sentir que le faltaba aliento, los ojos parecían querer salirse de su órbita; los brazos le colgaban como trapos a los lados del cuerpo, pero no quiso detenerse en su loca carrera, ni siquiera para comer un pedazo de pan o desviarse para beber de la fuente. Hubiera perdido media milla y eso no podía ser, pues se trataba de su futuro, del futuro de su familia. Había que sacrificarse, había que seguir adelante y no detenerse pues todos querrían su parte en la fortuna. Así que siguió corriendo a pesar de que los pies ya le sangraban.

Pasaron las horas y las sombras de los árboles en la estepa se fueron alargando. El hombre ya no corría, caminabá, arrastrando los pies y oprimiéndose fuerte el corazón... dentro de poco, muy poco, dormiría y todo aquello sería su propiedad. Ya no tendría que trabajar, ya podría por fin llevar una vida regalada.

Cuando vio que el último rayo de sol poniente se apagaba tras la montaña, entonces, sólo entonces, dijo:

—"¡Esta tierra basta...!", y se dejó caer exhausto en el suelo, los pies ya no lo sostenían más, los ojos ya no podían ver...; y ahí, tirado en el suelo abrazando la tierra que había ganado, repetía: "¡Soy rico!, ¡rico!, ¡rico...!" y, en ese momento su corazón le dejó de latir. El campesino jamás se alzó para disfrutar la inmensa tierra que con tanto esfuerzo había ganado.

A la mañana siguiente su familiares cavaron la fosa: tres

metros de largo, un metro de ancho y dos metros de profundidad: Esta es la tierra que basta.

Esta historia de León Tolstoi la dedica a quienes se desviven más por acumular y poseer que por ser. Este cuento es la realidad de muchas personas de nuestro tiempo que se lanzan a la desenfrenada carrera de poseer, ganar y atesorar, llegando a pensar que su familia no los comprende.

A todos aquellos padres de familia que se esfuerzan por dales cosas y con ello, pretenden justificar el no darles cariño, ni atención, ni tiempo y al morir, en vez de dejar un hueco en el mundo, se limitan a ocuparlo. Parecida es la historia siguiente...

9

El festín del rey Baltazar

El rey Baltazar lo había heredado todo de su padre Nabucodonosor y se había acostumbrado a la vida cómoda y placentera. Solía hacer grandes festines donde se embriagaba y divertía con sus mujeres y amigos. En uno de ellos, se le ocurrió usar los vasos sagrados que habían sido robados del templo de Jerusalén, para hacer mayor ostentación de su poder. Ahí, bebiendo y brindando por sus dioses, entre música de arpas y panderos, risas y carcajadas, aparecieron los dedos de una mano humana que se pusieron a escribir detrás del candelabro, en la pared del palacio real.

Todos se llenaron de estupor y se hizo un silencio tal que casi se podría cortar con una espada. Todos siguieron con la mirada el dedo de fuego que escribía. El rey cambió de color, sus pensamientos se turbaron, las articulaciones de sus caderas se relajaron, por no decir otra cosa, y sus rodillas empezaron a castañear.

Muy agitado, el rey mandó llamar a los adivinos, caldeos y astrólogos para que le descifraran aquellos signos. Les prometió grandes riquezas, pero no pudieron leer el escrito ni declarar al rey su interpretación, hasta que se acordaron de Daniel, un judío deportado de Jerusalén, por sobrenombre Belsazar, que poseía un espíritu extraordinario, ciencia e inteligencia y el arte de interpretar sueños, de descifrar enigmas y resolver dificultades.

Le trajeron pues a Daniel y el rey le preguntó:

—¿Eres tú Daniel, uno de los judíos deportados, que mi padre el rey trajo de Judá? He oído decir que en ti reside el espíritu de los dioses y que hay en ti luz, inteligencia y sabiduría extraordinarias. Han traído a mi presencia a los sabios y adivinos para que leyeran este escrito y me declararan su interpretación, pero han sido incapaces de descubrir su sentido. He oído decir que tú puedes dar interpretaciones y resolver dificultades. Si logras leer este escrito y decirme su interpretación, serás vestido de púrpura, llevarás al cuello un collar de oro, y mandarás como tercero en el reino.

Daniel tomó la palabra y dijo delante del rey:

—¡Quédate con tus regalos y da tus obsequios a otros!, que yo daré al rey su interpretación. La escritura dice: *"Mené, mené, tekel, farsín"*, que significa: medido, pesado, dividido. Y ésta es la interpretación: Has sido medido y has llegado al fin de tus días; has sido pesado y te falta peso, por eso tu reino será entregado a tus enemigos y será dividido.

Esa misma noche el rey Baltazar, fue asesinado...

Esta historia está en el capítulo 5 del libro de Daniel y fue escrita para despertarnos y ayudarnos a evitar que nos suceda lo que a este hombre, que fue medido y no tenía la estatura de una persona de bien; fue pesado y se

le encontró sin el peso de las buenas obras. Por ello condenado a vivir en la eterna división de todas aquellas personas que viven sin Dios. Toma ahora el Evangelio: pésate, mídete y vívelo.

10

El maharajá

Un rico príncipe hindú debía trasladarse con toda su fortuna. El viaje sería largo y molesto; tanto más, cuanto que tenía que atravesar una cadena de montañas escarpadas y rocosas.

En el palacio del príncipe bullían los preparativos para la partida: muebles, tapices, vajillas preciosas, telas y porcelanas; todo era cuidadosamente dispuesto en cajas de diversos tipos y sólidamente empacadas y aseguradas al lomo de robustos camellos; así también los fuertes cofres colmados de perlas, piedras preciosas y relumbrantes monedas de oro. Se formó una larga fila de camellos, guiados por un grupo diligente de fieles servidores. Así, el largo cortejo se puso en marcha.

Habían transcurrido ya varios días de camino, cuando al doblar la última cresta de un monte, uno de los camellos tropezó desafortunadamente y cayó. En el violento choque contra la dura roca del monte, una caja, llena de piedras preciosas, perlas y monedas de oro se rompió, quedando completamente despedazada, mientras su precioso contenido fue rodando velozmente a lo largo de la rápida pendiente, perdiéndose entre el césped o rodando hasta el valle.

Un sentimiento de terror se apoderó de la servidumbre: ¿Qué haría el maharajá? ¿Los castigaría severamente? ¿Le mandaría cortar la cabeza al responsable? Para gran sorpresa de todos, oyeron a su señor que con rostro tranquilo y sereno, les hacía esta extraña propuesta:

—"Esas perlas, monedas y piedras preciosas son de ustedes, se las regalo; quien las quiera, búsquelas".

Después de un instante de desconcierto, todos corrieron afanosos por la pendiente de la montaña; era una lucha rabiosa por superarse entre sí para apoderarse de cuanto fuera posible.

Entre tanto, el maharajá continuaba su camino, a la cabeza de la larga fila de camellos, sin siquiera volver a mirar hacia atrás, seguro de haber quedado solo. Pero he aquí que al pasar sobre un trecho de camino pedregoso, le pareció oír detrás de sí el rumor de pasos distintos al de los camellos. Miró: era uno de los siervos.

Estupefacto, el príncipe le preguntó:

—"Pero... ¿a ti no te interesan las perlas? ¿Por qué no has corrido como tus compañeros a cogerlas? ¿No te importa hacerte rico?".

—"Yo sigo a mi señor", respondió el siervo.

Vivimos en una sociedad que parece desquiciada, ocupada en la búsqueda de los bienes materiales y parece darle poca importancia a las relaciones personales, a la fidelidad, al compañerismo o a la amistad; pensamos que son los demás quienes deben ganarse nuestra amistad, nuestra gratitud, nuestra fidelidad.

El siervo del maharajá fue fiel, no en base a alguna recompensa, ni buscando algún beneficio especial, fue fiel porque así lo quiso. Para él, la fidelidad y la amistad eran de un valor mayor que el de los bienes materiales.

11

¿Cuánto vale el hijo?

Un hombre rico y su hijo compartían una gran pasión por el arte. Tenían de todo en su colección, tanto de los cubistas así como de Picasso, de los impresionistas como Monet, van Gogh y Degas, incluso de Rafael y Murillo. Muy a menudo, padre e hijo se sentaban para admirar las grandes obras de arte y discutían acerca de lo que el artista trataba de comunicar con su obra.

Desgraciadamente, el hijo fue a la guerra. Demostró gran valor y murió en la batalla mientras rescataba a otro soldado. El padre recibió la noticia y sufrió profundamente la muerte de su único heredero.

Al año siguiente, justo antes de la Navidad, alguien tocó a la puerta. Era un joven con un gran paquete en sus manos y le dijo al padre:

—"Señor, usted no me conoce, pero yo soy el soldado por quien su hijo dio la vida. Él salvó a otros compañeros ese día, y me estaba llevando a un lugar seguro cuando una bala le atravesó el pecho, muriendo instantáneamente. Él hablaba muy a menudo de usted y de su amor por el arte".

El muchacho extendió el paquete diciendo:

—"Yo sé que esto no es mucho. No soy un gran artista, pero creo que a su hijo le hubiera gustado que usted recibiera esto".

El padre abrió el paquete. Era un retrato de su hijo, pintado por el joven soldado. Él contempló con profunda admiración la manera en que el soldado había capturado la personalidad de su hijo en la pintura. El padre estaba tan atraído por la expresión de los ojos de su hijo que los suyos propios se arrasaron de lágrimas. Le agradeció al joven soldado y ofreció pagarle por el cuadro.

—"¡Oh, no señor!" -protestó-. "Yo jamás podría pagarle lo que su hijo hizo por mí, por favor tómelo como regalo".

El padre colgó el retrato arriba de la repisa de su chimenea.

Cada vez que los visitantes e invitados llegaban a su casa, les mostraba el retrato de su hijo, antes de mostrar su famosa galería.

El hombre murió unos meses más tarde y se anunció una subasta para todas las pinturas que poseía. Mucha gente importante y de influencia acudió con grandes expectativas de hacerse de un famoso cuadro de la colección.

El día de la subasta sobre la plataforma, en un caballete, estaba el retrato del hijo.

El subastador golpeó su mazo para dar inicio al remate de pinturas:

—"Empezaremos la venta con este retrato estupendo del hijo del dueño de esta hermosa colección. ¿Quién ofrece 500 dólares por este retrato?".

Hubo un gran silencio. Entonces una voz del fondo de la habitación gritó:

—"¡Queremos ver las pinturas famosas! ¡Olvídate de esa!"

Sin embargo el subastador persistió:

—"¿Alguien ofrece algo por esta pintura? ¿200 dólares? ¿100 dólares?".

Otro de los presentes interrumpió exasperado:

—"¡No venimos por esta pintura!". "Venimos a ver los Van Goghs, los Rembrandts". "¡Déjese de tonterías y vamos a las ofertas de verdad!"

Pero aun así el subastador continuaba su labor y preguntaba.

—"¿La pintura del hijo? ¿Quién se lleva al hijo?".

Finalmente, una voz se oyó desde muy atrás del salón:

—"¡Yo doy veinte dólares por la pintura!".

Era el viejo jardinero del dueño de aquella colección, que había asistido por curiosidad a la subasta y siendo este muy pobre, era lo único que podía ofrecer.

—"Tenemos ¡20 dólares! ¿Quién da 25?", gritó el subastador.

—"¡Dásela por 20! ¡Muéstranos de una vez las obras maestras!", gritaban algunos con enfado.

—"¡20 dólares es la oferta! ¿Dará alguien 25...?"... "¿Alguien da más?", insistió.

El murmullo de la gente indignada iba subiendo de tono. No tenían ningún interés en la pintura de hijo. Querían las que representaban una valiosa inversión para sus propias colecciones.

El subastador golpeó por fin el mazo:

—"¡20 a la una!, ¡20 a las dos!, ¡20 a las tres! ¡Vendida al caballero por 20 dólares!".

Un hombre que estaba sentado en segunda fila gritó feliz:

—"¡Por fin!" Ahora empecemos con la colección.

Pero el subastador soltó su mazo y declaró:

—"Lo siento mucho damas y caballeros, pero la subasta llegó a su final".

Los asistentes no podían creer lo que acababan de escuchar.

—"Pero, ¿qué hay de las pinturas?" ¿Y los Van Goghs y los Rembrandts?", inquirían desconcertados.

—"Lo siento señores", -aclaró el subastador-. "Cuando me llamaron para conducir esta subasta, se me dijo de un secreto estipulado en el testamento del dueño. No tenía permitido revelar esta condición hasta este preciso momento. Solamente la pintura del hijo sería subastada. Aquél que la comprara, heredaría absolutamente todas las posesiones de este hombre, incluyendo las famosas pinturas. El hombre que compró la pintura del hijo, se queda con todo".

Porque tanto amó Dios al mundo, que dio a su Hijo unigénito, para que todo el que crea en él no perezca, sino que tenga vida eterna. (Juan 3:16). ¡El Hijo! ¡El Hijo! ¿Cuánto ofreces por el Hijo de Dios que murió en una cruz para salvarte? ¿Cuánto vale para ti, Jesús, el Hijo? ¿Cuánto arriesgas de tus bienes por el Hijo de Dios? ¿Cuánto le apuestas al Hijo? El que tiene al Hijo, lo tiene todo.

12

Tres preguntas para triunfar

Si leemos cuidadosamente el Evangelio de San Marcos, concretamente el capítulo 4, nos damos cuenta de cómo este evangelista insiste en que la parábola era el medio predilecto de Jesús para predicar. "Les enseñaba muchas cosas con parábolas —dice el Evangelista—... Cuando se quedó a solas, los que le seguían a una con los Doce le preguntaban sobre las parábolas. Él les dijo: 'A vosotros se os ha dado el misterio del Reino de Dios, pero a los que están fuera todo se les presenta en parábolas, para que por mucho que miren no vean, por mucho que oigan no entiendan, no sea que se conviertan y se les perdone'.... Y les anunciaba la palabra con muchas parábolas como éstas, según podían entenderle; no les hablaba sin parábolas; pero a sus propios discípulos se los explicaba todo en privado (Marcos 4:10-13, 33).

Todo esto esconde un gran misterio. Y es que, la parábola, es como el mar. Si lo ves desde afuera, desde la playa, no puedes penetrar ni ver lo que hay adentro, el mar parece un espejo que refleja el azul del cielo; pero si te sumerges en sus aguas, descubres un mundo misterioso, lleno de peces multicolores, bosques de corales y maravillosos seres marinos. Lo mismo la parábola, para la gente superficial no pasa de ser una bonita historia, un cuento ameno, pero, para el que la ve a la luz de las enseñanzas de Cristo, a la luz de su palabra, descubre senderos nuevos, alimento para su alma, luz para su vida.

A este descubrir el sentido profundo de una parábola, de una historia o de un hecho de vida, se le llama "desentrañar". Es decir, penetrar en la entraña del misterio. El cuento de "las tres preguntas" nos ofrece pistas para encontrar lo que es más importante en la vida.

Hace mucho tiempo, había un rey que pasaba las tardes meditando cómo encontrar el secreto para saber el momento en que debe iniciarse una obra o proyecto, cuáles son las personas más aptas para realizarla y, sobre todo, saber cuál es el negocio más importante que alguien debe llevar a cabo. El rey estaba seguro de que, si lograba dar respuesta a estas tres preguntas, se convertiría en el hombre más sabio para gobernar y todas sus empresas tendrían éxito.

Luego de mucho reflexionar y leer cientos de libros, no encontró la solución y decidió ofrecer una gran recompensa a quien encontrara las respuestas. Se trataba de saber cuál es el tiempo más oportuno para cada negocio, quiénes son las personas más aptas para realizarlo y cuál es la obra más importante para llevar a cabo.

Comenzó a llegar al palacio gente muy culta y leída de las partes más remotas del reino, ofreciendo una solución a las tres preguntas del rey.

A la primera pregunta respondían unos que, para saber el tiempo más oportuno para cada negocio, es preciso planear con anticipación lo que quiere hacerse, día por día, mes por mes y año por año. Sólo de esa manera se puede hacer cada cosa a su tiempo. Otros argüían que no puede saberse con anticipación cuál es el tiempo más oportuno, sino que más bien, primero era necesario tener presente lo que quiere hacerse y después, estar atento a lo que sucede, para así descubrir el tiempo más oportuno. Algunos más objetaban que de nada servía estar atento a lo que sucede, porque un hombre no puede saber todo lo que sucede en una situación determinada, sino que necesita estar rodeado de personas sabias y de ellas tomar el consejo.

Pero los anteriores objetaban que hay negocios que exigen una respuesta pronta y no hay tiempo para largas deliberaciones con el consejo y que, si se dejara pasar la oportunidad, para cuando el rey recibiera el consejo ya habría pasado la oportunidad; por tanto sugirieron, que más que sabios, lo que el rey necesitaba era astrólogos que predijeran con anticipación lo que sucedería para realizar cada negocio en el momento más oportuno.

Después de todas estas respuestas el rey quedó perplejo y más confundido de lo que estaba al inicio.

Las respuestas a la segunda pregunta sobre cuáles eran los hombres más importantes para realizar una obra, fueron igualmente diversas y vagas. Unos decían que los hombres más necesarios a los reyes eran los gobernadores que podían ayudarle a dirigir el reino. Otros opinaban que los más importantes eran los soldados que le ayudarían a defenderse y a vivir en paz. Algunos más, defendían que los más necesarios eran los médicos que podían combatir las pestes y epidemias que habían devastado a otros reinos, y hubo incluso quien se atrevió a sugerir, que los sacerdotes eran los más necesarios, ya que estos imploraban y alcanzaban las bendiciones de los dioses.

Tampoco pudieron ponerse de acuerdo respecto a la tercera pregunta: ¿Cuál es la obra más importante del mundo? Unos aseveraban que las obras más importantes eran las ciencias que traían el progreso al ser humano; otros defendían el arte militar que aportaba al reino dominio y poderío y, finalmente otros, que el culto a los dioses que los pacificaba.

Ante tanta divergencia de opiniones, el rey no aceptó ninguna de las respuestas y, por supuesto, no le dio la recompensa a ninguno de ellos. El rey había pensado desistir de su empresa cuando, su copero mayor le comunicó que había un ermitaño célebre por su sabiduría, pero este habitaba en las montañas y había que ir a consultarlo al lugar donde habitaba, porque el ermitaño nunca salía lejos y que, además, no le aseguraba al rey que el ermitaño le recibiría pues él sólo recibía a gente humilde y sencilla.

Aquello no era fácil para un rey y además, el viajar solitario era una empresa peligrosa pues el rey tenía muchos enemigos. Sin embargo, obsesionado por encontrar la respuesta a sus dudas, el rey decidió correr todos los riesgos. Se dirigió con un pequeño cortejo de sus más fieles soldados y llegando al pie de la montaña les dijo que lo esperaran ahí. Se disfrazó de mendigo, y con un bordón en la mano, empezó a subir a pie, por la vereda de la empinada montaña hasta que se perdió entre las sombras del bosque.

Era ya el atardecer cuando llegó a la cima y en un claro vio a lo lejos una cabaña hecha de piedra toscamente labrada. Se acercó y se encontró al ermitaño, un hombre anciano, enjuto y débil, de cabello largo y blanco como la nieve y una barba que como cascada de hilos de plata le caía desde el mentón hasta la cintura.

El ermitaño estaba arrodillado, aflojando la tierra de las hortalizas con un pequeño azadón. Al ver al visitante que se acercaba, con voz apagada le dijo:

—"¡Salve amigo!", y continuó trabajando fatigosamente.

El rey se aproximó y le dijo:

—"Disculpa que interrumpa tu labor, pero vengo a pedirte que me ayudes a encontrar la respuesta a tres preguntas que inquietan mi corazón. Si me las respondes te daré...".

Iba a continuar la frase cuando, se dio de cuenta de que iba a decir una burrada: estaba disfrazado de mendigo y estuvo a punto de ofrecerle una gran recompensa. El ermitaño hubiera descubierto la farsa y jamás se hubiera enterado de la respuesta. Así que cambiando de tono, con voz más humilde y sincera se corrigió:

—"Si me las respondes te estaré agradecido toda la vida". Por lo tanto, te pido buen hombre me digas: ¿cuál es el tiempo más oportuno que no hay que dejar pasar para no arrepentirse después? ¿Cuáles son las personas más necesarias para emprender una empresa? Y, por último: ¿Cómo saber cuál es la obra más importante que debe llevarse a cabo y que debe preceder a todas las demás?".

El eremita, sin levantar la mirada del campo que estaba escardando, interrumpió un momento su trabajo y parecía que estaba escuchando, pero de repente escupió en sus manos y sin responder nada siguió trabajando.

El rey al ver el afán con que trabajaba el anciano y escuchando su truncado aliento le dijo:

—"¡Estás cansado! Déjame que te dé una mano".

—"Gracias", contestó el eremita y dándole el azadón se sentó en el suelo. Después de haber trabajado un poco el rey repitió su pregunta. Nada contestó el ermitaño, que se levantó para continuar su trabajo. Pero el rey no le regresó el azadón, sino que siguió trabajando y pasó una hora y dos hasta que comenzó a ponerse el sol tras los árboles.

Ya casi había oscurecido cuando el rey insistió una vez más.

—“Hombre sabio, he venido de muy lejos hasta aquí para buscar la respuesta a mis preguntas; si no quieres contestarme, dilo y me iré”.

—¡Espera! -y mirando a la espesura añadió-: ¿No ves a alguien que se dirige hasta aquí? ¡Mira!

Volviéndose el rey vio que efectivamente, de entre las sombras del bosque, se acercaba un hombre de mal aspecto, que oprimía las manos contra su vientre y por entre sus manos le escurría la sangre. Se acercó a ellos hasta que sus piernas se doblaron y cayó por tierra. El rey, ayudado por el ermitaño, entreabrió los ropajes de aquel hombre.

Tenía en el vientre una gran herida que el rey lavó lo mejor que pudo con su pañuelo y un trozo de camisa, pero la sangre no dejaba de salir. El rey cambió varias veces la curación empapada de sangre caliente, lavó y vendó de nuevo la herida. Cuando la sangre se detuvo, el herido recuperó el conocimiento y pidió de beber. El rey trajo agua fresca del pozo y le dio de beber. Entre tanto había oscurecido y el frío de la montaña empezaba a hacer sentir su afilado rigor. Así que entre los dos transportaron al herido a la cabaña, lo colocaron en el lecho y aquel hombre cerró los ojos y pareció dormirse.

El rey se sentía tan fatigado que también pronto se quedó dormido. Llegada la mañana se despertó y por un momento no pudo darse cuenta dónde estaba, qué hacía vestido de pordiosero y quién era aquel hombre barbudo de pelo negro que le miraba con los ojos brillantes desde su lecho.

—"Perdóname" -dijo el hombre barbudo-, en cuanto vio que el rey estaba despierto.

—"No te conozco" -dijo el rey-, "no tengo nada que perdonarte".

—"Tú no me conoces a mí, pero yo sí te conozco a ti. Soy tu enemigo. Aquel que juró vengarse de ti, porque tú eres mi hermano mayor y me arrebataste todos mis bienes. Como supe que vendrías a visitar al ermitaño, resolví que ésta era mi oportunidad para matarte. Quería atacarte cuando regresaras, pero transcurrió el día sin que te viera. Entonces salí del escondite para saber dónde estabas y tus compañeros, que también te buscaban, me reconocieron y aunque escapé de sus manos, lograron herirme. Con la pérdida de sangre hubiera muerto si tú no hubieras curado mi herida. Yo quería matarte y tú me has salvado la vida. Si ahora logro vivir y tú lo quieres, te serviré como el más fiel de los esclavos y ordenaré a los míos que te sirvan".

El rey se sintió entonces muy feliz de haber podido reconciliarse tan fácilmente con su peor enemigo. Por ello, no tan sólo lo perdonó, sino prometió devolverle sus bienes y envió a sus criados a traer un médico.

Una vez que hubo dicho adiós al herido, salió el rey a la puerta para buscar al ermitaño. Antes de despedirse, quería pedirle por última vez que respondiera a las preguntas que anteriormente le había hecho.

—"Hombre sabio -le dijo-, por última vez te pido que respondas a mis preguntas".

El anciano que estaba de nuevo en el huerto se puso en cuclillas, se le quedó viendo al rey un momento y dijo:

—"Pero... ¿cómo me preguntas de nuevo, si ya se te dio la respuesta?".

—"¿Qué quieres decir con que ya obtuve la respuesta?".

—"Ciertamente -repuso el ermitaño-, si tú no hubieras tenido ayer lástima de mi debilidad, ni removido en lugar de mí la dura tierra con el azadón, hubieras regresado solo, te habría atacado tu enemigo y te hubieras arrepentido de no haberte quedado conmigo. Por lo tanto, el momento más oportuno era aquel en el cual tú removías la tierra con el azadón, yo era la persona más importante para ti y la obra más importante era hacerme el bien en ese momento. Y después, cuando el hombre herido llegó a nosotros, el momento más oportuno fue aquel en que cuidaste de él, pues de otra manera hubiera muerto sin reconciliarte contigo. La persona más importante era tu prójimo con quien tuviste misericordia, y la caridad que practicaste era la obra más importante. Así pues, recuerda que el tiempo más importante es siempre el de ahora, el inmediato, porque en él mostramos lo que somos y que la persona más necesaria es tu prójimo y la obra más útil es hacer el bien.

Este cuento asemeja la parábola del Buen Samaritano. En la historia, el samaritano cuida de un hombre desconocido, y, en esta historia también. En la parábola del Evangelio, Jesús nos enseña que los extraños son también hermanos nuestros. Aquí, el extraño resulta ser hermano del rey; la parábola del Buen Samaritano y la parábola acerca de este rey, nos enseñan el amor al prójimo.

Pero hay algo más en esta narración del rey y el ermitaño, y es que hoy y no mañana, es el mejor momento para hacer el bien a lo demás.

"No nos cansemos de obrar el bien; que a su debido tiempo nos vendrá la cosecha si no desfallecemos". (Gálatas 6:9)

13

Martín el zapatero

En una gran ciudad vivía un humilde zapatero llamado Martín. Vivía en un sótano, en el que sólo había una pequeña ventana que alumbraba su taller.

Esa ventana daba a la calle y por ella se veía pasar a la gente; y aunque sólo se distinguían los pies de los transeúntes, Martín conocía por el calzado a cuantos pasaban por ahí, pues era raro que hubiese en la ciudad un par de zapatos que no pasara una o dos veces por su taller, ya fuese para remendarlos, ponerle tapas o medias suelas.

Sin embargo había perdido ya toda ilusión en la vida y no quería trabajar porque su hijo, que era toda su alegría, hacía poco que había muerto.

Un día vino a visitarlo un paisano que era muy viejo, y, ante él, Martín se quejó amargamente de sus desgracias.

—"He perdido hasta el deseo de vivir", decía. "Sólo pido la muerte a Dios porque no tengo ninguna ilusión en la vida".

El viejo paisano le respondió:

—"Haces mal en hablar de esa manera. El hombre no

debe juzgar a Dios, porque sus motivos están muy por encima de nuestra inteligencia. Él ha decidido que tu hijo muriera y que tú vivas, entonces, debe ser así. La causa de tu desesperación es porque quieres vivir para ti, para tu propia felicidad".

—"¿Y para qué he de vivir, sino para eso?", replicó Martín.

—"Hay que vivir por Dios y para Dios, repuso el viejo. Él es quien da la vida y para él debes vivir".

—"¿Y cómo se vive para Dios?".

—"Cristo lo ha dicho. ¿Sabes leer?, pues compra el Evangelio y ahí aprenderás".

Fue entonces que el zapatero se propuso leer el Evangelio todos los domingos, pero cuando hubo comenzado sintió tanto consuelo que se le hizo costumbre leerlo todos los días.

En cierta ocasión leía el capítulo seis del Evangelio de San Lucas en los versículos que dicen: "Al que te hiera en una mejilla, preséntale también la otra; y al que te quite el manto, no le niegues la túnica. A todo el que te pida, da, y al que tome lo tuyo no se lo reclames. Tratad a los hombres como queréis que ellos os traten". (29—31).

Y sintió una profunda alegría, tanta que en vez de acostarse se puso de nuevo los lentes y siguió leyendo el capítulo 7 donde está el pasaje de la pecadora arrepentida en casa de Simón: Y leyó despacito aquello de: "Y, volviéndose hacia la mujer, dijo a Simón: "¿ves a esa mujer? Entré en tu casa y no me diste agua para los pies. Ella, en cambio, ha mojado mis pies con lágrimas y los ha secado con sus cabellos. No me diste el beso. Ella, desde que entró, no ha dejado de besarme los pies. No ungiste mi cabeza con aceite. Ella ha ungido mis pies con perfume. (Lucas 7:44—46)

Martín se quitó las gafas y pensó un momento: "Yo soy como Simón: he vivido siempre pensando en mí y nada en mi huésped. ¿Qué hubiera hecho yo si Él hubiera venido a mi casa?".

Martín apoyó los codos sobre la mesa, dejó caer sobre sus manos la cabeza y se quedó dormido.

En eso oye una voz que le dice:

—"¡Martín!, ¡Martín! Mira mañana a la calle, que yo vendré a verte".

A la mañana siguiente, cuando Martín se despertó no supo si de verdad había oído la voz o si todo había sido un sueño.

"Debe haber sido un sueño", dijo, y se puso a trabajar. Sin embargo, no podía quitar la vista de la ventana. Vio pasar a un soldado de relucientes botas, después al cartero, a un aguador y después al viejo Nicolás, aquél hombre a quien le había dado el puesto de ayudante de portero, pero sólo por compasión para que no se muriera de hambre. El viejo estaba quitando la nieve que había frente a la ventana.

"¡Qué tonto soy!", -dijo Martín-. "Es el viejo Nicolás y yo me imagino que es Cristo quien viene a verme".

Siguió trabajando pero a los pocos minutos vio que el viejo Nicolás seguía ahí, había dejado la pala sobre la pared y estaba descansando y tratando de calentarse un poco.

"Es muy viejo ese pobre hombre -habló para sí Martín- se ve que no tiene fuerzas ya ni para quitar la nieve. Lo voy a invitar a tomar el té".

Martín dio unos golpecitos en la ventana y cuando volteó el viejo le dijo:

—"Ven a calentarte, debes tener frío".

El viejo sonrió, se frotó las manos y bajó presuroso al sótano.

—"No te preocupes de limpiarte los pies yo barreré luego -y añadió-, tómate una taza de té".

Estuvieron tomando el té y platicando largo rato sobre el sueño que Martín había tenido y las cosas que decía el Evangelio. El viejo Nicolás escuchaba y sorbía su té, como si fuera un niño.

Por fin el viejo se santiguó y le dijo:

—"Te agradezco Martín que me hayas tratado de este modo satisfaciendo a un tiempo mi alma y mi cuerpo".

Martín volvió al trabajo y, mientras cosía, miró por la ventana, a la espera de Cristo.

Estaba pegando un tacón cuando de repente oyó el llanto de un niño. Miró a la ventana y vio a una mujer con medias de lana y zapatos de campesina. Se acercó un poco a la ventana y observó a la forastera con un niño en brazos.

Martín se levantó, abrió la puerta y gritó desde la escalera:

—"¡Hey, buena mujer! ¿Por qué te quedas a la intemperie con tu hijo? Ven a mi taller y el niño dejará de llorar".

Martín la hizo pasar y le dio un tazón de sopa.

La mujer le contó que su esposo era un soldado que había sido llamado al servicio militar y que hacía ocho meses que no tenía noticias de él. Andaba buscando trabajo y alguien le había prometido contratarle, pero hasta la siguiente semana. Mientras tanto había tenido que empeñar el abrigo para comer algo ella y el niño y terminó diciéndole:

—"Dios te lo premie buen hombre. Él sin duda me ha traído junto a tu ventana".

Martín respondió:

—"En efecto, Él ha sido quien me ha inspirado esa idea. No miré casualmente a la ventana y extendiendo la mano le dio una moneda de 20 *kopecks*. Toma esto -añadió-, es para que recuperes tu abrigo".

La campesina se fue y Martín, mientras cosía con una lezna, continuó mirando a la ventana. Pasaban unos que conocía y otros personajes desconocidos, pero éstos no tenían nada de particular.

De pronto vio a una vendedora ambulante que llevaba en una mano un cestito de manzanas y en la otra un hatillo de leña. La mujer se detuvo para reforzar su hatillo que se estaba deshaciendo y, mientras esto hacía, un pilluelo salido de quién sabe dónde trató de robar una manzana. Pero la mujer alcanzó a agarrarlo de los cabellos y comenzó a pegarle.

El muchacho forcejeaba y gritaba:

—"Déjeme ir, yo no he cogido nada".

—"¿Nada pillo? Eso se lo vas a contar a la policía".

Martín salió a la calle y trató de separarlos. La mujer se resistía, pero al fin soltó su presa y el muchacho iba a escapar, pero Martín lo retuvo y le dijo:

—"Pídele perdón a la señora y no lo vuelvas a hacer, porque yo te he visto coger la manzana".

El pequeñuelo rompió a llorar y, entre sollozos, pidió perdón. Martín entonces cogió una manzana y se la dio al muchacho.

—"Yo la voy a pagar por ti", dijo.

—"Mimas demasiado a ese granuja", le dijo la mujer. "Debería haberle cocido la espalda a palos".

—"Pero ¿qué dices mujer? Si hay que tratar a así a un niño por robar una manzana, ¿cómo debería tratarnos Dios por nuestros pecados?".

La vendedora guardó silencio.

—"Dios nos manda perdonar, porque de otra manera no

seremos perdonados. Todos esto ha sido una niñería así que váyanse y que Dios los bendiga”.

La mujer iba a cargar de nuevo la leña pero el niño le dijo:

—Yo le ayudo, pues voy por el mismo camino”.

Y Martín, sonriendo los vio irse juntos. Hasta a la buena señora se le olvidó cobrarle la manzana.

Martín bajó de nuevo a su taller en el sótano y una vez terminado su trabajo, ya cansado se puso a leer el Evangelio y se quedó dormido sobre él.

Y estando dormido volvió a soñar que Jesús le hablaba y le decía:

—“¡Martín!, ¡Martín!, ¿No me conoces?”.

—“¿Quién eres?”, preguntó el zapatero

—“Soy yo”, y en un rincón oscuro apareció y desapareció el viejo Nicolás.

—“Soy yo también”, y del rincón oscuro salió la campesina con el niño en brazos y se desvaneció la sobra.

—“También soy yo”, exclamó una tercera voz y apareció la señora con el muchacho llevando leña. Entonces se despertó Martín, se puso las gafas y descubrió que el Evangelio se había quedado abierto en el capítulo 25 de San Mateo donde con letras grandes decía: “Porque tuve hambre y me dieron de comer, tuve sed y me dieron de beber, era emigrante y me recibieron”, y al final: “Lo que hayan hecho a uno solo de estos, mis hermanos menores, me lo hicieron a mí”.

Y Martín comprendió que el sueño era un aviso del cielo y que, en efecto, el Salvador había estado en su casa.

Este cuento de León Tolstoi tiene muchas aplicaciones morales, resaltemos dos para nuestra vida diaria.

Al morir el único hijo de Martín y quedarse solo, también sentía desfallecer. De estas situaciones angustiosas y desesperadas se sale aceptando la voluntad de Dios para dedicarnos a hacer felices a los demás. Si Dios permite que se nos muera un amor, no es para impedirnos amar, sino para invitarnos a amar más.

La segunda lección es muy importante: Martín se imaginaba cómo trataría a Cristo si Él en verdad viniera a su casa y, desde entonces comenzó, a tratar a todos como si fueran el mismo Cristo. Si cultiváramos esta misma disposición nosotros, tratando con respeto y caridad a los demás, la convivencia con otros se haría más humana

14
El cincelador

Por todas partes se veían obreros. Unos cargaban ladrillos, otros hacían la mezcla; arriba, en los andamios, se oía el golpeteo del cincel contra la cantera. Unos esculpían estatuas, otros delineaban las gárgolas del friso; más allá se pulían las volutas de una columna. Se estaba construyendo la obra de arte más grande del mundo: la famosa catedral de Colonia en Alemania y en ella trabajaban más de mil obreros al mismo tiempo.

Un visitante -un rico protestante- contemplaba con asombro todo aquel movimiento: las cuadrillas de los obreros que cargaban la cantera, los numerosos artistas que esculpían absortos en sus obras, las rústicas grúas con enormes poleas que levantaban lentamente la piedra labrada hasta las torres, los pulidores de mármol... y, llevado por la curiosidad, caminaba entre piedras y polvo, admirado por aquel ejército de trabajadores atareados en la ingente construcción.

Y así, de andamio en andamio, trepándose por las vigas apuntaladas, unas sobre otras, y subiendo enclenques e improvisadas escaleras se aventuró hasta el punto más alto del majestuoso conjunto. Desde ahí, las personas que se movían en la plaza inmediata, parecían presurosas hormigas. Y he aquí que, mientras miraba en torno suyo, pasando de la catedral al vasto panorama que de allí se divisaba, vino a sorprenderse por la diligente atención que un obrero, trepado sobre una elevada y delgada aguja, ponía al ejecutar su trabajo. Era un cincelador que con amoroso cuidado, allá arriba, casi suspendido en el cielo azul, cincelaba uno a uno los ensortijados rizos de cabello de una graciosa cabecita de ángel.

El turista lo observó un rato, mientras trabajaba cuidadosamente, completamente absorto en su obra; luego, una vez que hubo bajado el cincelador, aquel turista, maravillado ante la obra le dijo:

—"Buen hombre, ¿Por qué se esfuerza tanto, y además de eso, trabaja en una posición tan incómoda y peligrosa para pulir esa cabecita? Desde aquí (e indicó con el dedo la altura de la torre) ninguno se preocupará de los rizos del ángel, ni siquiera lo podrá percibir".

El humilde obrero, respondió con extraordinaria sabiduría:

—"Señor, yo no trabajo para los que miran de abajo, sino para Aquel que mira de allá arriba y señaló el cielo".

Una de las razones por la que pierde sentido nuestro trabajo, y con frecuencia nos sentimos cansados y molestos es porque nadie aprecia lo que hacemos. Lo que nos cansa, no es el trabajo mismo sino la incomprensión, la frustración de estar haciendo algo inútil. Si aquel cincelador hubiera buscado el aprecio de la gente, los reconocimientos del público o, al menos, de sus familiares, su

trabajo no tendría sentido alguno; pero al hacerlo, para poner sus talentos al servicio del Señor, su trabajo se convertía en motivo de orgullo, satisfacción y realización propia.

Si lo que hacemos, no nos llena ni satisface, ¿no será porque nos olvidamos de hacer las cosas para gloria de Dios y en lugar de eso andamos buscando ávidamente el gesto aprobatorio del hormiguero humano? Aquel hombre era feliz porque su patrón era el carpintero de Nazaret.

Si esta es la actitud cristiana en cualquier trabajo, ¿qué deberíamos decir de los que trabajan la casa de Dios? Aquel cincelador pulía con amoroso esmero los risos de un ángel de piedra en la alta torre porque el Dios del cielo veía su trabajo. Sin embargo, en la actualidad hay muchos "servidores del altar", que no se preocupan de preparar la lectura, el mantel está sucio, las velas chorreadas, las flores secas, el tapete manchado de cera. La casa de Dios merece un poco más de amor y atención.

15
Construyo una catedral

Cuando se estaba construyendo una de las más hermosas catedrales de Italia, la catedral de Viterbo, uno de estos "romeros" -peregrinos que van a Roma-, al ver de lejos aquella maciza y enorme construcción decidió subir la montaña donde se construía la casa de Dios para contemplar la obra y, acercándose a un hombre que labraba la piedra, le preguntó:

—"¿Qué estás haciendo?".

—"¿Qué no ves?", repuso con enfado el picapedrero. "Estoy trabajando con gran esfuerzo y fatiga".

Siguió más adelante y se encontró a otro picapedrero y le preguntó:

—"¿Qué es lo que haces?".

—"Lo que estás viendo", repuso. "Me gano la vida trabajando desde la mañana hasta el atardecer para mantener a mi familia".

El peregrino continuó y se encontró otro que, al igual que los demás, estaba cubierto de fino polvo y, cuando sudoroso se limpiaba el rostro con el pañuelo, le interrogó:

—"¿Qué estás haciendo?".

—"¿No lo ves?", y añadió con orgullo señalando las gruesas columnas que empezaban a darle forma y altura al edificio. "¡Construyo una catedral!".

De nuevo aquí, esta pequeña historia nos recuerda que las disposiciones interiores con que hacemos las cosas, son las que le dan sentido a nuestro trabajo. Los tres hombres realizaban la misma tarea pero, para el tercer personaje, las satisfacciones espirituales eran mayores.

16

El cuarto rey mago

En los tiempos de César Augusto, siendo Herodes rey de Judea, vivía en la ciudad de Ecbátana que corresponde a la actual y moderna ciudad de Hamadán, situada a los pies del monte Orontes, un rey llamado Artabano.

Artabano era un hombre alto y moreno, de barba negra y rizada, de mirada profunda y serena; de carácter recio y decidido, de los que alcanzan todo aquello que se proponen.

Artabano pertenecía a la antigua casta sacerdotal de los así llamados "adoradores del sol".

Un día convocó a todos sus amigos a una cena y, sacándoles fuera a la terraza, les dijo:

—"Varios de los hombres más sabios de oriente, y yo mismo, hemos estudiado las antiguas tablas caldeas y según nuestras observaciones, la nueva estrella que ha aparecido en el cielo y que están viendo brillar allá a lo lejos anuncia el próximo nacimiento de un gran rey que gobernará a todas las naciones y establecerá un reino de paz. Melchor, rey de Etiopía; Gaspar, rey de Persia; Baltazar rey de Babilonia, y yo, hemos decidido ir a rendirle homenaje. Por mi parte, he vendido todas mis posesiones y he comprado con ello los más hermosos regalos: Un zafiro, un rubí y una perla negra. El que de ustedes quiera acompañarme, será bienvenido.

Sus amigos lo miraron con extrañeza y desconcierto. Algunos dijeron que lo pensarían con detención, otros que tenían cosas más importantes que hacer y no pocos estaban convencidos de que Artabano había perdido la cabeza y trataron de disuadirlo de emprender aquella aventura.

Artabano tuvo que emprender el viaje solo. Montó sobre Abudabá, el más veloz y resistente de sus caballos y salió a todo galope de su castillo; tenía que llegar a tiempo a la cita con los tres Magos.

Bajó las montañas de Nepal, siguió por la intrincada ladera de Karakorum al oeste del Tíbet, atravesó las enormes y despobladas praderas de Hinduskush. Estaba llegando al valle de Qom, a sólo cien leguas de las murallas de Babilonia, donde había quedado de verse con los otros tres reyes, cuando vio al lado del camino, bajo una palmera, a un hombre tirado sobre una estera, con la piel amarilla y acartonada y los ojos rojos casi queriendo saltar de sus órbitas, eran las huellas claras de la fiebre amarilla. La muerte estaba a su lado esperando cortar el hilo de vida que le quedaba.

Artabano se acordó de su padre que había muerto de una enfermedad parecida y se le conmovió el corazón, bajó de su caballo, puso al hombre enfermo sobre su cabalgadura y lo llevó al albergue en la ciudad. Ahí le mandó al mesonero que cuidara de él y que le diera la medicina necesaria. El mesonero no parecía muy convencido de querer hacer lo que se le pedía pero, cuando vio brillar en las manos de Artabano el zafiro azul que le ofrecía, acordó cumplir con sus deseos.

Caía el sol y se veía a lo lejos la oscura silueta de las murallas de Babilonia pero, cuando Artabano llegó al lugar de la cita, los tres Magos ya habían partido. Al día siguiente, cuando aun no salía el sol ya estaba en camino. Tenía que dar alcance a sus amigos y recuperar el tiempo perdido.

Cabalgaba por un pasaje montañoso cerca de la ciudad de Damasco, cuando oyó los gritos de una mujer que pedía auxilio. Detrás del recodo en el camino, se encontró a un regimiento de soldados que arrastraban a una joven mujer con el vestido hecho jirones. Artabano empuñó decidido la espada, pero los soldados eran numerosos y comprendió que sería en vano enfrentarlos, tendría que usar otra estrategia.

Artabano se acercó al jefe de ellos, mientras la mujer le gritaba:

—"¡Sálvame!, ¡Sálvame!".

Artabano se quitó del cinturón una bolsita de cuero y sacó de ella el hermoso rubí rojo, tan brillante que parecía que tuviera un ascua ardiente en su mano.

—"Te la compro", le dijo.

El hombre miró a sus amigos como si buscara su aprobación y volviéndose de nuevo a Artabano le respondió:

—"Trato hecho: ese rubí vale por muchos días de fiesta", y arrebatándole el rubí le dejaron a la mujer y se marcharon riendo.

La mujer se ofreció servir de esclava a su inesperado libertador, pero Artabano se negó y le explicó:

—"Ese rubí no era mío, estaba destinado a un rey, invoca a Dios para que te muestre el camino", y se marchó veloz.

Mientras tanto, Melchor, Gaspar y Baltazar habían llegado

a Belén y postrándose ante el niño que María tenía en sus brazos, le entregaron sus dones: Gaspar le había llevado un cofre con monedas de oro. Melchor le presentó un frasco de alabastro lleno de perfumado incienso y Baltazar le ofreció la preciosa mirra. José y María se lo agradecieron, pues aquellos regalos les llegaban en un momento de gran necesidad. El oro les sirvió para hacer el largo y penoso viaje a Egipto y mantenerse durante los largos meses mientras José conseguía trabajo; el perfumado incienso para hacer agradable la estancia de las visitas y la mirra para curar a los que estaban enfermos. A esto se debió que José y María guardaran siempre el recuerdo de aquella providencial visita.

Cuando Artabano llegó a Jerusalén le dijeron que los Magos hacía más de una semana que habían partido a Belén y sin perder un instante se dirigió a Belén y encontró la casa de María y José vacía. Estaba pensando que hacer cuando oyó gritos y llanto, se volteó y vio a un soldado romano que tenía agarrado de un pie a un niño, mientras otros dos forcejeaban con la madre histérica. El soldado desenvainó la espada para degollar al pequeño y en ese momento gritó Artabano:

—“¡Alto! No mates al niño”.

Los otros dos soldados desenvainaron su espada. Pero Artabano, sosteniéndola con dos dedos, les mostró la perla negra tan grande como una nuez. Los soldados se quedaron como hipnotizados. Entonces les prometió:

—Devuelvan ese niño a su madre sin hacerle ningún daño y a cambio les daré esta perla.

Los soldados se miraron unos a otros y accediendo como de mala gana, soltaron a la mujer, le devolvieron su pequeño y arrebatándole la perla se marcharon.

Artabano preguntó a la mujer:

—"Buena mujer ¿no sabes acaso dónde han ido las personas que vivían en aquella casa?".

—"¿Se refiere usted al carpintero y a su joven esposa María? Lo ignoro, pero hace dos noches oí ruidos y, al asomarme a la puerta, me pareció ver a alguien sacar el pollino del establo y tomar el camino que lleva a Egipto, de haber permanecido aquí hubieran matado también a su hijo".

Sin darle tiempo a la mujer de agradecerle el favor, Artabano montó de nuevo en su caballo y, ya desesperaba de lograr su meta, cuando divisó a lo lejos una lenta caravana de mercaderes. De repente distinguió entre los mercaderes a un hombre que jalaba a un pollino y montada sobre él iba una mujer con un niño en brazos. A Artabano le empezó a latir el corazón con gran intensidad, se bajó del caballo y le preguntó al hombre:

—"Perdón buen hombre ¿No es acaso usted carpintero y su esposa no se llama María?, ¿Acaso no vienen de Belén?".

—"Así es amigo, pero ¿qué lo trajo hasta aquí y de dónde es que nos conoce?".

—"Hace ya tiempo, por un presagio del cielo, me fue revelado el nacimiento de un gran rey, llevaba ya varios meses buscándolo. Venía a traerle un presente, pero ahora llego con las manos vacías... y les contó lo que le había acaecido en su azaroso viaje".

María conmovida le puso al niño en sus brazos y le dijo:

—"Mejor aún que vengas con las manos vacías, pues ahora te las lleno", y le puso al niño en sus brazos. Jesús que dormía despertó y le sonrió.

Moraleja. Esta vida no es para llenarnos de cosas, sino para irnos vaciando de lo que tenemos haciendo el bien a los demás, y Jesús nos llena todo el espacio que vamos haciendo en nuestro corazón.

17

El señor Alegría

Won Li era campesino chino pobre, muy sencillo y generoso. Un día, descendiendo de la alta montaña, con un gran manojo de juncos que después vendía para que la gente cubriera los techos de sus cabañas, se encontró una hermosa mariposa grande como la palma de su mano de color azul terciopelo. Al verla, Won Li pensó: mi hijo jamás ha visto una mariposa tan grande y hermosa, estoy seguro que encantará, la mariposa aterida por el frío se dejó agarrar sin esfuerzo. Won Li le amarró un hilo a la patita y se la puso sobre el hombro.

Llegado al pie de la montaña se encontró a una señora que llevaba un niño, el niño al ver la mariposa, empezó a gritar:

—"Mamá, mamá, mira qué hermosa mariposa, agárrala, agárrala".

—"Pero hijo", le respondió. "No ves que ése señor lleva la mariposa para sus hijos".

El niño que no entendía razones, insistió llorando: "Yo quiero la mariposa, yo quiero la mariposa".

Won Li que tenía un buen corazón, al ver llorar al niño

se quitó la mariposa del hombro y se la dio. La mamá un poco apenada, le dijo: "Es usted muy amable, siento mucho no tener nada en mi bolsa para pagarle pero al menos le quiero dar estas tres naranjas que corté de mi jardín".

Las naranjas eran grandes y jugosas. Pensó Won Li: "se las llevaré a mis hijos, esto seguro que jamás han visto naranjas tan grandes".

Siguiendo su camino se encontró a un vendedor de telas de seda que estaba reclinado bajo la sombra de un árbol. Al verlo medio agotado Won Li se detuvo un momento y le preguntó

—"¿Qué le pasa amigo?".

—"Vengo de muy lejos le respondió pero este sol quema y ya no aguanto la sed, ¿no sabe dónde hay una fuente por aquí cerca?".

—No hay ninguna, hasta llegar al pueblo, pero tome estas tres naranjas jugosas y seguro que le quitarán la sed".

—"Gracias buen hombre. Pero quiero agradecer tu generosidad dándote un trozo de esta seda para que le hagas un vestido a tu mujer".

Won Li continuó feliz, imaginando la alegría de su mujer al ver aquella tela tan hermosa para hacerse un vestido.

Llegando a la calle principal del pueblo vio pasar a la princesa que era llevada en su silla, cargada por cuatro fuertes hombres. La princesa detuvo el cortejo y le dijo a Won Li.

—"Déjame ver esa tela de seda que llevas bajo el brazo y te la compraré".

—"No necesita darme nada a cambio, usted es la princesa y sería un honor para mí darle este regalo".

—"Eres muy generoso, yo también quiero darte un regalo", y mandó que le entregaran una bolsita con el sello de la princesa.

Won Li se amarró la bolsita al cinturón. Al llegar a su casa le dio a su mujer el obsequio recibido de la princesa, y claro, en ella había lo que hay en todas las bolsas de las princesas, varias monedas de oro.

—"¿Qué quieres que hagamos con todo esto le preguntó su mujer?".

—"Quiero...", le respondió Won Li. "Quiero ayudar a los mas pobres del pueblo".

Así que compró un terreno lo dividió en muchas partes y se lo dio a los más pobres que se comprometían a trabajar la tierra. Y así aquel pueblo se convirtió en una ciudad próspera y a Won Li la gente le llamaba "El señor Alegría".

La moraleja es que la generosidad es la virtud de las almas grandes, es decir, magnánimas. Por eso decía san Clemente de Alejandría: "No es rico el que tiene, sino el que da, es el dar no el tener lo que hace feliz al hombre". Por otro lado vemos también que a todo don debemos responder dando nosotros también; por más pobre que sea uno siempre podemos dar algo. Jesucristo mismo nos da el ejemplo pues, siendo pobre en este mundo, se dio a sí mismo para salvar a los demás.

18

Cristo pide "aventón"

Había una vez un padre que tenía tres hijos, a quienes siempre había prometido darles un buen regalo si se esforzaban en los estudios y terminaban su carrera. Pasó el tiempo y, aunque no fue fácil, los tres hijos terminaron sus estudios y orgullosos de sus esfuerzos le presentaron al orgulloso papá sus diplomas. El padre cumplió su palabra y aunque tuvo que vender unas pequeñas tierras que tenía, les compró un auto último modelo a cada uno.

Aquellos jóvenes no esperaban un regalo tan generoso de parte de su padre y casi no podían creerlo cuando su padre les puso en las manos las llaves de su auto. Ya no tendrían que estar dependiendo de los demás, ni del autobús de pasajeros para trasladarse como muchos de sus amigos. La envidia que les iba a dar a sus amigos y la sorpresa que le iban a dar a la novia, pues su padre, además de generoso, había escogido los autos como les gusta a los jóvenes: de brillantes colores, con "quemacocos", rines de magnesio y palanca al piso. ¡Por fin se sentirían libres e importantes, el mundo les parecería chiquito con el volante en las manos y el acelerador en los pies!

El mayor de los hermanos había sido el primero en escoger y por supuesto que escogió el auto de un color rojo irresistible. Se subió al auto y tomó la calle que llevaba a la autopista, pues lo primero que había que ver era cuánto levantaba. Prendió el reproductor de discos compactos, ajustó el ecualizador *tún, tuntún, turún, tún, tún,...* Lo que diría la novia..., ¿cuál novia? pensó, si ahora todas las chicas se ven guapas.

Iba manejando, ocupado en estos pensamientos cuando casi sin darse cuenta se encontró fuera de la ciudad por una carretera solitaria.

El paisaje era nuevo y diferente para él. De repente vio a lo lejos a un extraño caminante. Sí, extraño porque vestía una especie de túnica blanca, manto cruzado y sandalias en los pies.

Disminuyó un poco la velocidad para observar con más detención a aquel caminante. ¿Será, no será? No, no puede ser, se detuvo un poco. ¡Sí!, ¡sí es! y además está pidiendo "aventón". Pisó a fondo el freno, se hizo a un lado y esperó a que el caminante se acercara.

—"¡Señor! ¿No me digas que eres tú?".

—"Así es amigo soy yo".

—"Dime a dónde vas que yo te llevo. Estás de suerte, porque hoy precisamente estoy estrenando este auto".

Como Jesús se le quedara viendo, aparentemente sin intención de entrar, insistió:

—"¿Qué esperas Señor? Súbete y te llevo a donde quieras".

Jesús le dijo:

—"Nada más, con una condición".

—"¿Condición? ¿De qué se trata?".

—"Bueno lo que pasa...", respondió Jesús. "Es que...".

—"¿Qué pasa Señor? ¿Te asusta la alta velocidad? Te

prometo que manejaré con precaución".

—"No, no se trata de eso. Lo que sucede es que quiero manejar".

El joven se quedó desconcertado, y reflexionando un momento dijo:

—"Pero, Señor... ¿a quién se le ocurre pedir *ride* y querer manejar? Eso nadie lo hace. Además, ¡qué falta de confianza! Mira aquí está mi licencia Clase "A" y mi historial está libre de accidentes".

Jesús ni siquiera vio la licencia que le mostraba el joven, sino a sus ojos e insistió con firmeza:

—"Me subo pero... yo manejo".

El joven puso las dos manos sobre el volante, miró frente a sí la carretera libre, solitaria, recta como una alfombra de acero, volteó con Jesús y le dijo:

—"¿Sabes qué, Señor? Si no me tienes confianza, lo dejamos mejor para otra ocasión". Pisó el acelerador, rechinaron las llantas y despegó. Subió el volumen, *tún, tuntún, turún, tún, tún,...* "Yo lo invité, él no quiso", *tún, tuntún, turún, tún, tún...*y poniendo su vista en el asfalto negro se fue haciendo pequeño, pequeño, hasta perderse en el horizonte.

No había pasado mucho tiempo cuando el segundo hermano en su auto verde metálico pasó por ahí. La carretera vacía, solitaria y, de pronto, aquel extraño con el brazo extendido y el pulgar levantado. "¿Será? ¿No será? ¡Sí!, parece que sí es". ¡Inconfundible! túnica blanca, cabellos largos y sandalias en los pies. Disminuyó un poco la velocidad, pasó frente a él y por un instante se cruzaron las miradas. "¡Sí!, ¡Sí es!". Dudó... ¿Me detengo? ¿No me detengo?...". Frenó, se hizo a un lado de la carretera y se echó en reversa.

—"¡Señor! ¿Qué andas haciendo por aquí?". Y pensó añadir: "¿Se te descompuso el burro?, pero le pareció un poco irrespetuoso y se mordió la lengua.

—"No, no se me descompuso el burro", dijo Jesús.

El joven se puso rojo. ¡No había duda! ¡Era Él!

—"Perdón Señor, lo que quería decir es... ¿qué andas haciendo por estos rumbos?".

—"Lo que ves, estoy pidiendo aventón".

—"Entonces súbete, te llevo".

Nuestro Señor se subió al auto y se pusieron en movimiento.

—"Cuando les cuente a mis amigos, no me lo van a creer, comentó entusiasmado el joven.¡Ha sido un día increíble!, primero mi graduación, después el regalo de mi padre y, ahora, me encuentro contigo. Y -añadió-, que no sea nada más hoy, estoy a tu disposición cuando quieras".

Pero Jesús le interrumpió, le puso la mano en el hombro y le dijo:

—"Quiero manejar".

—"Señor, tú si que eres bromista. Cómo está eso de que me pides aventón y ahora quieres manejar. No estarás hablando en serio ¿verdad?".

—"Sí, lo digo en serio. Quiero manejar".

—"Señor, pero si yo soy muy buen chofer".

—"Será así, pero quiero manejar".

El joven disminuyó la velocidad y respondió.

—"Pero Señor... ¿Tienes licencia? ¡No tienes licencia! ¿Ves? y tú sabes que aquí la ley se debe observar, y si te detienen manejando mi automóvil me voy a meter en problemas".

El pasajero insistió:

—"La única licencia queme basta es la tuya. Yo quiero estar al volante".

El joven detuvo el auto. Parecía reflexionar seriamente, volteó a ver al pasajero, miró adelante: un día sin nubes, una vía libre, un horizonte prometedor.

Apretó los labios y le dijo:

—"Señor, tú sabes que me gustaría, pero creo que hoy no va ser posible, mejor bájate".

Jesús se bajó en silencio y con cuidado cerró la puerta.

—"Adiós", dijo Jesús.

—"Adiós", respondió débilmente el joven.

El auto arrancó y se alejó a buena velocidad. El joven no vio por el espejo retrovisor; de haberlo hecho, hubiera visto como Jesús se miraba cada vez más lejano.

Finalmente, el más pequeño de los hermanos, en su auto azul, después de haber recorrido todas las calles del barrio sonando el claxon, entró decidido y por primera vez en la autopista: ¡Ábranse piojos que ahí les va el peine! y, efectivamente, los autos se hacían a un lado y a otro al ver venir aquel raudo móvil zigzagueando de un carril a otro.

No pasó mucho tiempo. Ya era tarde, cuando pronto se encontró por la misma carretera que habían recorrido sus hermanos mayores. Y se repitió la escena:

La silueta blanca al fondo, las sandalias, pelo largo. ¿Será? ¿No será? ¡Sí!, ¡sí es él! ¡No cabe duda! El joven se acercó al peregrino y saliéndose de la carretera detuvo su auto.

—"Señor, hoy sí que estás de suerte. Súbete Señor que yo te llevo, además, a esta hora, vestido así y por estos rumbos, no creo que nadie se detenga a darte un aventón".

—"Muy bien, pero con la condición de que me dejes

manejar".

—"¿Quieres manejar? Bueno..., pero... ¿qué te parece si mejor tú agarras del volante con una mano y yo con la otra?"

—"¡No!".

—"¿No? Es decir, ¿tú quieres todo el volante para ti?".

—"Por supuesto, o si no, me bajo".

—"¡Bueno Señor!, nada más te pido que manejes con cuidado". Y habiéndole entregado las llaves, cambiaron asientos.

Cristo tomó el volante y manejaba plácidamente con la carretera cuando de repente, Jesús acelera y saliéndose de la carrera entran a un camino empedrado y polvoriento.

El joven protesta:

—"¡Señor, mi auto nuevo!, me lo vas a estropear".

—"¿En qué quedamos? ¿Vamos los dos juntos y yo manejo o manejas tú y me bajo?".

—"No Señor, nada más eso nos faltaba, tú manejas", indicó el muchacho.

El camino empedrado es ahora una terracería, una brecha, las llantas rebotan, la carrocería cruje, el motor refunfuña; los matorrales tupidos, las ramas de los espinos, como navajas, arañan la carrocería.

El joven no puede dejar escapar un reclamo:

—"¡Señor!, ¡mi auto nuevo!".

Nuestro Señor le mira...

—"Tú manejas Señor. Ni hablar, tú manejas".

Por fin aparece un claro en la cima de un monte. Los dos se bajan a ver el paisaje, en eso los cubre una nube y todo se llena de luz.

—"Señor ¡qué hermoso es estar aquí! Hagamos tres tiendas...".

La aplicación de esta historia es obvia. Dios Padre te ha dado la vida, es nueva, es tuya, toda tuya. Pero esta vida hermosa no dura, se acaba; se acaba la niñez, se acaba la juventud y se acaba la vida. Ésta es sólo una oportunidad para ver si nos merecemos otra mejor. A todos, Cristo nos sale al encuentro como alguien necesitado, pide aventón, pero quiere manejar. No quiere ser pasajero incómodo, sino compañero de viaje, maestro y guía; quiere acompañarnos y conducirnos por el camino de la vida ascendente, pero con una condición, que le pongas en sus manos el volante de tu vida.

Yo soy la **LUZ** *y no me quieres ver.*
Yo soy el **CAMINO** *y no me quieres seguir.*
Yo soy la **VERDAD** *y no me quieres creer.*
Yo soy la **VIDA** *y no me buscas.*
Yo soy **TU DIOS** *y no me adoras.*
Yo soy tu **MAESTRO** *y no me escuchas.*
Yo soy tu **SALVADOR** *y no me invocas.*
Yo soy tu **PADRE** *y no me obedeces.*
Yo soy tu **GUÍA** *y no me dejas el volante de tu vida.*
Si te pierdes, es tu culpa.

19

El rey y el mendigo

Había una vez un pobre mendigo que pasaba la vida buscando "tesoros" en los basureros de la ciudad. Su choza estaba llena de esos "tesoros" que se había encontrado: botellas de cristal vacías, pedazos de madera labrados, ropa vieja y un poco olorosa.

Se la pasaba vagando por calles y callejuelas, comiendo lo que encontraba o alguien de buen corazón le ofrecía. Y bien entrada la noche llegaba a su buhardilla, encendía la luz de la vela y vaciando su costal sobre la mesa se ponía a recontar lo que había encontrado.

Un día escuchó sonar las trompetas y se oyó al pregonero gritar: ¡El rey va a pasar!, ¡El rey viene! Aquello era un gran acontecimiento pues raras veces salía el rey de su gran palacio. La gente salía a los balcones o se asomaba por las ventanas. El mendigo quería también ver ese espectáculo y sentado en la acera, disfrutaba del sol, esperando tranquilamente el paso del rey.

No había pasado mucho tiempo cuando se escuchó un golpeteo de cascos y el vociferío de la gente. De repente, al final de la estrecha calle, aparecieron unos briosos corceles blancos y la negra carroza del rey. El mendigo se puso de pie para no ser atropellado pero, cual no sería su sorpresa, cuando la carroza, en vez de pasar veloz, se detuvo en frente de él. "¡Qué suerte tengo!", pensó. "El rey me vio y de seguro me un gran regalo, o quizás me ofrezca un trabajo en la caballeriza o quizás..., ¡Sí, sí! me hará su cartero".

Todos los sueños del pobre hombre parecían que se iban a hacer realidad, pero el rey sin bajar del carro, extendió la mano y le preguntó:

—"¿Qué me das?".

El mendigo no lo podía creer: Nada menos que el rey, el hombre más rico y poderoso del país, le extendía su pulcra, rosada y rechoncha mano completamente vacía y le pedía a él.

El mendigo pensó: "Pero cómo es posible que el rey, que tiene todo e incluso más de lo que necesita, me pida a mí. ¿Qué podrá necesitar este rey?".

Entonces bajó el costal que cargaba sobre los hombros y poniéndolo en el suelo, lo abrió, metió su mano tosca y sacó un grano de trigo que dejó caer en la mano del rey. El rey tomó el regalo y dio la orden a su chofer de seguir adelante.

Aquella noche el mendigo llegó a su casa meditabundo y cabizbajo y, como siempre, encendió la vela, vació su costalito sobre la mesa para hacer un recuento de las chucherías que había recogido en su caminata y, de repente, vio que algo brillaba y ¡qué sorpresa se llevó al ver que era un granito de trigo de oro idéntico al que le había dado al rey! Entonces se dio cuenta de su error al no haber sido más generoso con el rey. Le debería haber dado todo lo que llevaba en el saco, pero ya nada podía hacer.

Dios no tiene necesidad de nuestros dones, ni nuestras ofrendas lo hacen más rico, pero nos pide para transformar nuestras ofrendas materiales y perecederas en dones eternos y celestiales. La actitud de muchos creyentes es regatearle a Dios y darle las sobras de nuestro tiempo, las sobras de nuestra vida, las sobras de nuestros bienes y al final de la vida nos encontramos que lo único que vale y lo que de verdad tenemos, fue aquello que le dimos a Dios. Por eso, recuerda: no le haces un favor a Dios con ser bueno, con ser caritativo, ni siquiera con ir a misa o hacer apostolado, ese favor te lo estás haciendo a ti mismo. Dios transforma y bendice lo que tú le pones en sus manos y no más.

20

El loco

Hace mucho tiempo, en el país de Jabilá, en un valle verde, hermoso, rodeado de montañas, vivía el varón más justo y cabal de toda la tierra. La prosperidad y riquezas de aquella región habían traído confort; el confort, comodidad; la comodidad, ociosidad; la ociosidad, aburrimiento; el aburrimiento deseo de diversiones malsanas; y las diversiones malsanas poco a poco habían ido corrompiendo a la gente; primero a los jóvenes, después a los adultos y finalmente a la población entera. Sin embargo, a pesar del ambiente, aquel hombre entrado en años, era tan justo que no permitía que nadie en su familia excusara su mal comportamiento en lo que hacían o dejaban de hacer los demás. "Si los demás roban, nosotros no; si los demás son injustos nosotros no debemos serlo, si los demás nos tratan mal, nosotros debemos hacer el bien porque somos creyentes". Con esas enseñanzas y otras muchas había logrado conservar un ambiente de paz y armonía en su hogar.

Sin embargo, como veía que la violencia y el desenfreno aumentaban sin control alguno, había ya decidido emigrar a otra región con toda su familia cuando tuvo un sueño donde Dios le decía: "He decidido acabar con todo viviente porque la tierra está llena de violencia por culpa de ellos. No me buscan, ni quieren saber nada de su eterno destino; cada cual quiere vivir según sus impulsos y hacen lo que les viene en gana, por eso voy a dejar que también el cielo, las nubes, los ríos y la tormenta les imiten; se salgan de los cauces y normas que les he puesto y hagan lo que les venga en gana y, así como los hombres han acabado con la vida santa y serena, de igual manera, el cielo, el agua y la tormenta, imitando su mal ejemplo, los destruirán a ellos y a todo ser viviente sobre la tierra. Tú, por tu parte, hazte una barca de maderas resinosas y entrarás en ella con tu familia y parejas de todos los animales de la comarca".

Ese mismo día, el anciano varón se puso a trabajar en la construcción de la enorme barca de tres pisos. Taló árboles inmensos, de ahí sacó grandes tablones de madera y los fue apilando cerca de su casa. A la gente del pueblo le llamaba la atención la febril labor del anciano que iba acumulando tablones y más tablones. En un principio, la estructura no tenía forma y en las cantinas del pueblo los hombres se preguntaban qué estaría planeando aquel hombre que se negaba a hablar y mezclarse con los demás. Unos opinaban que iba a construir un castillo para vivir, otros que un enorme establo, o unos graneros.

Pero con el pasar de los meses cuando la quilla ya estaba armada y la silueta de la barca comenzó a aparecer como si fuera el esqueleto de una enorme ballena, todos empezaron a burlarse de él. La noticia corrió como reguero de pólvora por todo el pueblo:

—"¿A que no sabes la última noticia?".

—"¿Pues, de qué se trata?".

—"Del viejo ese que decían que estaba loco. Ahora, no hay duda. ¿Sabes lo que está construyendo? ¡Una barca!".

—"¿Una barca?".

—"¡Sí! una barca enorme".

—"Pero... ¿y para que diablos estará haciendo una barca si aquí no hay ni mar, ni lago y el río está lejos?".

—"¿Una abarca sin remos ni velas, en medio de un valle? Ese señor sí que está mal de la cabeza".

En efecto, donde el santo varón vivía, ni había mar, ni lago alguno; era un valle en medio de montañas y la mayor parte del tiempo era caluroso y seco.

La barca iba tomando forma, y era como un aviso de que algo iba a suceder; pero la gente estaba muy ocupada en diversiones, en atender sus tierras y negocios y no le dieron importancia a aquel hecho.

Los niños del pueblo que observaban atentos desde una pequeña loma el trabajo de aquel anciano varón que parecía infatigable, empezaron a burlarse de él y a gritarle:

—"¡Loco! ¡Loco!" y a tirarle piedras. Cuando el anciano salía de entre los andamios con el martillo en la mano todos los niños corrían y aquello se convirtió durante algún tiempo en su juego favorito. Esto al buen hombre, le hacía su trabajo más lento y difícil, pero no desistía y trabajaba hasta que se ponía el sol.

Terminar aquella embarcación inmensa, con todas aquellas molestias le llevó, más de un año a pesar de que ocasionalmente le ayudaba alguno de su familia. Parecía que nunca iba a terminarla, hasta los niños ya se habían aburrido del juego y estaban ocupados en otro tipo de diversiones. Pero un día, el varón puso una última tabla y remachó un último clavo y entonces sucedió algo que a los ojos de todos les pareció novedoso, sensacional.

—"¡Mamá!, ¡mamá!, ¿a que no sabes qué?".

—"¿Qué cosa hijito?".

—"!El loco! mamá ¡el loco!".

—"¿Qué le pasa ahora ese pobre hombre hijo?".

—"No me lo vas a creer mamá, pero mis amigos y yo acabamos de ver a ese loco metiendo animales en la barca".

—"¡No es verdad!".

—"¡Sí! lo vi con mis propios ojos. Ven y lo verás".

Todo el pueblo salió a ver aquel espectáculo. No podían creer aquella escena tan divertida: parecía el desfile de un circo y de dos en dos, el anciano conducía a los animales dentro del Arca. Pero aquel nuevo aviso del cielo lo tomaron a broma. Despreocupados, se reían, aplaudían, y gozaban con las ocurrencias del loco.

—"Oye hijo, vamos a seguirle la corriente. Ve, corre y trae de casa dos mininos de la gata Misifús".

Aquella semana todo el pueblo y muchos que habían venido de los villorrios vecinos, se divirtieron de lo lindo con aquel lento cortejo de animales. Y mientras el anciano cumplía sin inmutarse su labor, unos bailaban y otros tocaban el cuerno y la pandereta. ¡Jo, jo, jo, ji, ji, ji, ja, ja, ja!, y así estuvieron disfrutando del desfile todo el día hasta que... hasta que entró el último animal y tras él toda la familia de aquel hombre y se cerró la puerta.

Entonces los niños y la gente, enfadados de que se hubiera acabado de pronto la diversión, le tiraban piedras y palos a la barca y le gritaban:

—"¡Loco!, ¡loco!, ¡no te encierres en tu barca, queremos más circo!". ¡Jo, jo, jo, ji, ji, ji, ja, ja, ja!

Distraídos como estaban, ninguno cayó en la cuenta de que el cielo se había ido oscureciendo poco a poco, sin prisas, hasta que tronó el cielo, se rompieron las nubes y empezó el diluvio.

—"¡Niños, venga a la casa, no se vayan a resfriar, mañana seguirá la diversión...!", gritó una mamá.

Llovió toda la noche y todo el día siguiente y los niños no salieron a jugar, ni la gente pudo ir a trabajar..., ni tampoco a divertirse.

—"Oye viejo, mira, que ya van tres días y no para de llover y el loco sigue encerrado en su barca, ¿No será que ese hombre no estaba tan loco después de todo?".

—"¡Vamos mujer, no digas tonterías! ¿Por qué nos deberíamos preocupar? Verás cómo mañana deja de llover y sale el sol".

Pero el sol no salió, ni la lluvia se detuvo. Los campesinos, empezaron a maldecir al cielo porque ese año de seguro perderían la cosecha.

Y al quinto día...

—"Oye mujer, mira que esto no para, y yo desde que tengo uso de razón nunca había visto llover así, pero... quizá mañana deje de llover".

Pero pasó el quinto día y el sexto y no dejó de llover. Entonces los torrentes se desbordaron, se expandió el agua gris y turbulenta por toda la pradera, arrollando todo a su paso. Y entró en las casas con violencia, y la gente buscó refugio en los techos de las casas y en las copas de los árboles. Empezaron a llorar y empezaron a gritar. Pero ni la lluvia paró, ni los llantos y gemidos se escucharon entre aquellos truenos y relámpagos. El agua cubrió casas y árboles y los pocos que habían escapado con vida subieron a las montañas, pero el cielo, los ríos, el viento y la tormenta siguieron durante cuarenta días su desenfreno, sin tener en cuenta ninguna regla ni norma divina y las aguas cubrieron incluso las montañas. Y dice la Biblia que pereció todo ser viviente: desde las serpientes que se arrastran por el suelo hasta las aves que vuelan en el cielo y, por supuesto, las fieras, el ganado y la gente.

Éste es un bonito relato escrito en la Biblia y más que moraleja, es una advertencia para que recordemos que Dios nos sigue hablando e invitando a la conversión mediante signos y señales. Pero si vivimos como nos da la gana, rompiendo toda regla y mandamiento, no nos debemos quejar cuando la naturaleza imita nuestro ejemplo. "Porque como en los días que precedieron al diluvio, comían, bebían, tomaban mujer o marido, hasta el día en que entró Noé en el arca, y no se dieron cuenta hasta que vino el diluvio y los arrastró a todos, así será también la venida del Hijo del Hombre". (Mateo 24:38—39).

21
La camisa del hombre feliz

Un rey se hallaba muy enfermo y le había embargado una extraña y profunda tristeza que ni él mismo sabía explicar. Había mandado llamar a todos los médicos, alquimistas y hasta brujos y adivinos. Prometió dar la mitad de su reino a quien encontrara una medicina que le devolviera la salud.

Los médicos emplearon toda su ciencia y arte; los alquimistas combinaron pócimas secretas en sus retortas, los brujos conjuraron espíritus de antepasados, y usaron talismanes misteriosos y toda clase de sortilegios; los adivinos interpretaron el movimiento de las constelaciones; pero el rey no sólo no se curó, sino que incluso se puso más grave.

Entonces uno de los médicos declaró que había una posibilidad de curar al rey de tan extraña enfermedad:

"Si sobre la tierra se encuentra un hombre feliz", aseguró. "Quítesele la camisa y que se la ponga el rey con lo que éste, en poco tiempo, quedará curado".

Al punto el rey envió mensajeros a todos los pueblos del reino e incluso a los reinos vecinos encomendándoles de encontrar a un hombre feliz y traerle al instante su camisa. Los enviados del soberano se esparcieron por los cuatro puntos cardinales y comenzaron a visitar a los que suponían eran los hombres más felices de la tierra: Los príncipes, los poderosos y los grandes terratenientes. Pero resultó que unos andaban en guerras y litigios; otros, a pesar de sus riquezas se sentían insatisfechos y ambicionaban aún más; y no pocos vivían temerosos de ser envenenados por sus mismos parientes o simplemente estaban aburridos o amargados.

Frustrados en su intento de encontrar al hombre feliz entre las más altas clases sociales, decidieron probar suerte entre la gente común. Y resultó que unos se quejaban del gobierno y de los impuestos; otros de lo pesada que les hacía la vida la mujer o la suegra y los más se la pasaban envidando a los ricos y maldiciendo su suerte.

Los mensajeros estaban desesperados. "Al que me traiga la camisa del hombre feliz le daré la mitad de mi reino"... pero ningún resultado.

Cierto día, cuando ya el sol se ponía, al pasar por un puente el hijo del rey oyó voces de júbilo y cantos alegres. Detuvo su caballo para escuchar con atención y escuchó que alguien debajo del puente cantaba: "¡Qué hermoso día!", "¡Nada me falta!", "¡Qué feliz soy!".

El hijo del rey, aunque escéptico, decidió hablar con aquel vagabundo. Se apeó del caballo y bajó por el borde del río hasta la humilde choza de tablas torpemente acomodadas, se hallaba debajo del puente e iluminada por la tenue luz de una vela. Pensó tocar con fuerza la puerta, pero la choza no tenía puerta sino que era un trozo de burda tela que colgaba como si fuera una cortina. Sintió un poco de repugnancia y gritó desde fuera, fingiendo un tono amable:

—"Soy el hijo del rey, salid buen hombre y te prometo que este será para ti un buen día".

Tras la cortina de trapo, asomó el rostro de un hombre de rostro arrugado, de canosas y tupidas barbas y, contemplando de arriba abajo con ojos de asombro a aquel distinguido personaje con sombrero de pluma le replicó:

—"Joven, no recuerdo haber tenido jamás un mal día".

El príncipe se corrigió:

—"Que Dios te conceda una vida feliz...".

—"Pero yo nunca he sido infeliz. Respondió aquel hombre".

Al joven príncipe no le quedaba ya duda, aquel era el hombre que buscaba. Iba a pedirle su camisa cuando el anciano, levantando la mano lo interrumpió y, como si no tuviera prisa, se sentó sobre una caja de madera y, mirándole a los ojos, le dijo:

—"Escuche joven, no sin razón le he dicho que yo no he tenido mal día porque cuando paso hambre, alabo a Dios; cuando llueve o nieva, lo bendigo; cuando la gente me rechaza o me saca la vuelta, también se lo ofrezco a mi Señor y me siento contento de poderme asemejar al menos en eso a él. En todo pues busco hacer lo que mi Señor y Dios quiere y eso me basta para ser feliz".

—"Bueno, bueno, le creo", dijo un poco impaciente el príncipe. "Parece que estás convencido de ser el hombre más feliz del mundo y no lo discuto, pero ahora, ¡pronto! Necesito que me prestes tu camisa", y haciendo tintinear un pequeño bolso de cuero añadió:

—"Te daré todas estas monedas de oro".

El hombre de la cabaña respondió.

—"Lo siento amigo, pero soy tan pobre que no tengo camisa".

Este cuento de León Tolstoi, más que cuento es un acertijo: ¿Qué es lo que hace a una persona verdaderamente feliz? La camisa del hombre feliz no existe, ni podría existir, porque la felicidad no consiste en colgarte cosas como si fueras una percha, sino en deshacerte de las que te sobran y en dárselas al que no tenga ninguna. La felicidad del pobre no estaba en no tener nada, sino en la actitud con que vivía su vida. La enfermedad del rey se curaba, no poniéndose una camisa, sino dándose cuenta de que hay muchos que no la tienen, y hacen algo para compartir con los necesitados la abundancia de sus bienes materiales.

22
El águila de corral

Cierta vez un campesino que andaba buscando una cabra que había perdido, se encontró en un risco un nido de águilas con dos huevos y se le ocurrió tomar uno de ellos, llevarlo a su gallinero y ponérselo a una gallina que estaba empollando.

Pronto nació el aguilucho y fue creciendo entre pollos y gallinas y, como ellas, se alimentaba de granos y gusanos.

Pasó el tiempo y el aguilucho se convirtió en una enorme águila real de cabeza blanca y brillante; con doradas plumas, ojos alertas y avizores, y garras de hierro que imponían respeto hasta a los más gallos del gallinero.

Al ver esa hermosa águila real el campesino decidió que el gallinero no era el lugar apropiado para aquel joven aguilucho y decidió que ya era tiempo de darle libertad, la sacó del gallinero, la llevó hasta la montaña donde la había encontrado y ahí lo soltó.

El águila real voló dando giros cada vez más altos y se fue alejando hasta perderse entre lo azul del cielo.

Grande fue la sorpresa del campesino cuando, al regresar por la tarde a su casa, arreando sus cabras al corral se encontró de nuevo el águila en el gallinero.

Efectivamente, el águila había volado, pero no estaba acostumbrada a ello; le había costado mucho esfuerzo, luego descendió al valle y recordó su vida fácil y cómoda en el gallinero, donde no tenía que preocuparse por buscar alimento.

Así que se quedó a vivir ahí y a recibir su ración de maíz como las demás gallinas, y a comer gusanos como cualquier otra ave de corral. Pero pasó el tiempo y sus plumas perdieron su anterior brillo y se quebraron, sus ojos se tornaron grises y opacos y las fuertes garras se volvieron tan flácidas y débiles que a duras penas le sostenían en la percha.

Entonces las gallinas la picoteaban y le perdieron respeto. A veces ni un grano le dejaban. El águila lloraba por su suerte.

Un día el coyote logró entrar en el gallinero y se armó el alboroto de gallinas, el águila entonces, trató de volar alto, pero sus flácidas alas no la sostuvieron y cayó presa en las fauces del hambriento ladrón.

Esta parábola nos enseña que Dios nos ha dado a todos alas de águila real, pero si buscamos siempre la comodidad y nos sometemos a la ley del mínimo esfuerzo, pasando largas horas como gallinas en la percha frente al televisor, el internet o cacareando sin poner ningún huevo, el día que queramos superarnos y volar a las alturas, no podremos lograrlo.

Esta parábola también puede aplicarse a aquellos padres de familia que, en lugar de enseñar a sus hijos a volar, los tienen encerrados en casa como gallinas y después se asustan cuando son presa del primer coyote que pasa. Enseñar a volar a los hijos es enseñarles a actuar por principios interiores, por fe y convicción y no por reglas externas.

23

El hilo de cabello

Sucedió en Italia, en tiempos de las luchas entre los güelfos y los gibelinos. Eran los tiempos de Romeo y Julieta.

En una de las guerras entre los pequeños reyes feudales de Italia, un rey güelfo capturó en una emboscada a su terrible adversario y, para que no pudiera escapar lo encerró en la torre más alta del castillo. La puerta era toda de hierro y, además, el rey mandó cerrarla con doble candado y tirar la llave al mar.

Al rehén, la comida se le daba deslizándola por un orificio en la parte inferior de la puerta, donde apenas cabía su ración diaria que consistía en un trozo de pan y un tazón de agua. La celda tenía una pequeña ventana que daba al otro lado de la muralla, lo que hacía más dolorosa la estancia del prisionero, pues desde ahí podía ver aquellas tierras que algún día habían sido suyas y que jamás volvería a pisar...

La única alegría del prisionero en su tormento era su mujer, que en las tardes una vez por semana se acercaba a la muralla, se paraba al pie de la torre y saludaba agitando su pañuelo rojo. El prisionero asomaba por la pequeña ventana y respondía con un gesto de saludo porque ni siquiera alcanzaba a oír su voz.

Así pasaron los años cuando al prisionero se le ocurrió una feliz idea. El cabello le había crecido tanto que casi le llegaba a la cintura. Se arrancó varios de ellos y los unió haciendo un nudo y después otro y otro, hasta formar un finísimo hilo, tan largo que calculaba llegaría hasta el pie de la torre. Al final del hilo amarró un trozo de su raída camisa y, con un pedazo de carbón, escribió un mensaje y lo descolgó por la ventana.

Cuando vio venir a lo lejos a su mujer, el prisionero sacó el brazo y dejó caer la madeja de cabellos deteniendo un extremo. Su esposa se quedó extrañada de que su esposo mantuviera el brazo extendido sin hacer ningún saludo y no vio el tenue hilo porque la tarde era gris y corría mucho viento. Pero decidió volver al día siguiente, esta vez de madrugada, y sucedió lo mismo. Ella hacía la señal con el pañuelo y su marido, en vez de devolver el saludo habitual, sacaba el brazo tieso por la ventana. Ella no podía distinguir el tenue cabello que se confundía con el color de las piedras del muro. Trataba de descifrar qué le querría indicar con aquel gesto, su marido con desesperación, movía la mano cerrada de un lado a otro como si hubiera algo colgando. Entonces notó el pedazo de tela que colgaba y leyó el mensaje que decía simplemente: "amarra un hilo".

La mujer corrió a casa y trajo un pequeño hilo de algodón y lo amarró a los cabellos. Así su marido subió el hilo de algodón hasta su ventana y después otro hilo más grueso y más grueso cada vez, hasta que logró subir una soga lo suficientemente fuerte para descolgarse por ella. Abajo le estaba esperando con caballo uno de sus viejos soldados y fiel amigo. En cuanto se descolgó huyeron a todo galope.

En poco tiempo reunió a todos sus hombres, asaltó el castillo por sorpresa y volvió a reinar sobre aquellas tierras, encerrando en la misma prisión al rey enemigo.

Esta se aplica a ti que un día triunfaste y ocupaste cargos importantes, pero algo sucedió y de un día para otro todo se derrumbó y ahora vives encerrado en la triste celda del recuerdo, prisionero de las rejas de la amargura y el resentimiento. Tú puedes salir de ahí, escapar de la cruel celda que te has fabricado tú mismo, si intentas algo nuevo y original, algo que exige un esfuerzo insignificante, pero que a la larga te abrirá las puertas de un reino desconocido.

También puede aplicarse a quienes que se sienten esclavos de alguna pasión o de algún vicio; anhelan escapar, pero no pueden. El escape se logra con pequeños actos de virtud constantemente repetidos. Comienza a cambiar de vida en algo pequeño, por ejemplo, tu arreglo personal, tus modales, tus palabras. Amárrate a un grupo que no sólo busque reunirse y compadecerse el uno del otro, sino cambiar y superarse. Busca siempre lo más exigente, lo más fuerte, lo que te lleva más alto, hasta que un día te conviertas en Señor de ti mismo.

24
El mercader de perlas

Había una vez un pescador llamado Azhor que, por más que trabajaba y se esforzaba nunca pescaba gran cosa y sus redes se iban gastando y royendo con la sal del mar.

Una vez un anciano le comentó que la verdadera riqueza del mar no estaba en la superficie, ni se pescaba con redes, sino que había que sacarla del fondo del mar, en las madreperlas escondidas en los tortuoso riscos del abismo, pero que pocos se atrevían en aquellas zonas de traicioneras corrientes marinas, bosques de filoso coral, asediada por dentadas barracudas.

Aquel hombre, que poco tenía que perder y que ya estaba aburrido de un trabajo sin muchos resultados, decidió probar suerte en esa aventura. Se deshizo de sus redes y empezó a buscar en el fondo del mar, cerca de los peligrosos y poco explorados arrecifes.

Un día tuvo la fortuna de dar con un banco de madreperlas. A nadie le reveló su descubrimiento, no confiaba ni de su esposa y durante un mes pasó los días sumergiéndose en el mismo lugar con un cuchillo entre los dientes y un pequeño saquito de cuero amarrado al tobillo para echar las más madreperlas que podía y depositarlas a la barca.

Sus amigos le preguntaban con sorna:

—"¿Qué has pescado Azhor?". "¿Se te escapó de nuevo la ballena?".

—"Así es, pero he encontrado unas sabrosas almejas".

Llegaba a su casa cargado de un enorme costal, mientras todos dormían, vaciaba su húmedo y maloliente costal sobre la mesa, y con un filoso cuchillo abría cuidadosamente cada concha y les sacaba su precioso tesoro: perlas, perlas grandes y hermosas que algún día adornarían el grácil cuello de alguna princesa. Las ponía en un frasco de cristal y las encerraba en una pequeña caja de madera que tenía oculta en el tapanco, esperando juntar un buen número para ir a vender las a la ciudad.

Su esposa ya estaba cansada de aquellos nocturnos ritos y, sobre todo, de ese montículo de apestosas conchas que llenaba de fuerte olor toda la casa. Así que, cierto día, cuando llegó Azhor a su casa, lo recibió con mala cara y le espetó:

—"O te deshaces de tus apestosas conchas o tus hijos y yo nos largamos de esta casa".

Azhor bajó su húmedo costal que llevaba al hombro y sin decir palabra lo vació sobre la mesa frente a la mujer.

—"¿Sabes lo que es esto?", le preguntó.

—"Por supuesto", respondió con enfado su mujer. "Son ostiones pero, ¿acaso esperas que tu mujer y tus hijos coman eso toda la vida?".

—"No mujer", repuso Azhor. "Estas son madreperlas; trae un cuchillo y lo verás".

Azhor tomó el cuchillo, le dio unos golpes a la concha para quitarle la lama adherida y metiéndole el acero la abrió.

Su mujer abrió la boca con asombro, dentro de aquella maloliente concha apareció una tersa perla de color rosa plateado que brillaba como el ojo de una diosa.

—"¡Madre mía! ¡Qué belleza!".

Aquella noche no durmieron y Azhor y su esposa fueron abriendo una a una las madreperlas. Cada una era una nueva sorpresa, había perlas de tono rosado y plata; otras de nácar, y azul y muchas blancas, blancas como las mismas perlas.

Azhor y su familia se mudaron pronto a la gran ciudad. Se compraron una hermosa casa y Azhor puso un negocio de compraventa de perlas.

Azhor pronto se convirtió en un experto. Podía distinguir a primera vista una perla del mar de China o del Japón. Las medía haciéndolas pasar por arillos de metal y las pesaba en una pequeña y precisa balanza. En su tienda había perlas de todos los tamaños y tonalidades del arco iris, sus collares se hicieron famosos en el mercado por la perfecta redondez de su figura, y también por su tenue y delicado brillo.

Sin embargo, hacía tiempo que Azhor andaba muy inquieto, había oído hablar de una legendaria perla negra. Algunos decían que era un mito, otros creían que de verdad existía, pero nadie la había visto.

Azhor decidió hacer un viaje al lejano oriente y viajó por la Conchinchina, India y finalmente Arabia. Caminó entre tiendas y mercaderes, vio a los faquires sentados sobre alfombras de clavos y flautistas con turbante que hipnotizaban cobras.

Entró por una estrecha y polvorienta callejuela, llegó hasta donde le había informado de un comerciante que vendía perlas. Entró a la tienda y se encontró a un anciano bereber de turbante azul y luenga barba blanca. Le mostró las perlas que tenía pero, con tristeza, contempló que eran realmente feas, defectuosas, como cacahuates, comparadas con las que él poseía.

Aunque tenía entendido que aquel anciano era un experto cotizador de perlas, aquellas pobres muestras le habían decepcionado. Sin embargo, le confió que andaba buscando la legendaria perla negra, pero que ya había perdido la esperanza de encontrarla, quería en definitiva saber si él, que parecía tener muchos años en el negocio, sabía algo de ella o todo era un mito.

El anciano le miró fijamente y diciendo:

—"Espere un momento".

Se metió detrás de un grueso tapiz que tenía colgado a manera de cortina. Pasó un buen rato y al fin asomó el anciano la cabeza y, una vez que hubo mirado cautelosamente a todos lados, con un gesto le indicó que pasara dentro.

Allí, en una pequeña mesa finamente labrada lo hizo sentar; sacó de abajo del cinto un pequeño pañuelo de seda roja y poniéndolo sobre la mesa lo abrió.

Azhor no podía creer lo que veía; ahí, enfrente de sí mismo, en aquel pañuelo de seda estaba una perla negra del tamaño del ojo de un buey, que despedía un brillo misterioso de colores violetas, como un arco iris nocturno.

Azhor la tomó en sus manos. Era tersa como el cutis de una colegiala y tenía el brillo del ojo de un dios.

—"¿Cuánto quieres por ella?", preguntó.

—"No hay dinero en el mundo que pueda cubrir su valor, pero... hazme una oferta que valga la pena y lo consideraré".

—"Dame una semana y te haré una oferta que no podrás rechazar".

Con este acuerdo, Azhor regresó a su casa. Reunió toda su

fortuna, e incluso le quitó a su esposa uno de sus mejores collares a pesar de sus protestas; vendió todas las posesiones que tenía y, cargando todo en el lomo de su camello, se presentó puntualmente a la cita con el anciano mercader y, abriéndole el cofre cargado de monedas y piedras preciosas trató de persuadirlo:

—"¡Mira, estoy dispuesto a darte todo lo que tengo! Aquí hay collares y diademas de diamantes que han adornado la cabeza de hermosas princesas. Te las doy todas a cambio de esa perla negra".

—"Trato hecho", respondió el viejo sin pensarlo dos veces.

Azhor regresó a su casa y aquella perla le trajo más fama, más riqueza y más prestigio que todas las perlas juntas del mundo.

Cuenta la leyenda que Azhor, no era nada más y menos que hijo de Eliaquim y padre de Sadoc, de quien nos habla Mateo en la genealogía de Jesús. Y es muy probable que el mismo Jesús, durante su niñez en Egipto, haya escuchado esa historia de la cual tomó la comparación: "También es semejante el Reino de los Cielos a un mercader que anda buscando perlas finas, y que, al encontrar una perla de gran valor, va, vende todo lo que tiene y la compra". (Mateo 13:45—46)

Esta historia nos presenta la clave de la felicidad verdadera: buscar lo que de verdad vale, no desfallecer hasta encontrarlo y apostar todo para conseguirlo.

Al interpretar esta parábola, no hay que olvidar el detalle de que Jesús no compara el Reino con la perla, sino con el mercader. La clave está en la actitud del negociante que busca, y porque busca halla, y por que sabe apreciar su valor le apuesta todo. El Reino de Cristo exige invertir tiempo, dinero y esfuerzo; alma, corazón y vida.

25
El árbol del progreso

Muy lejos de la ciudad y en medio de un pequeño valle rodeado de altas montañas había un hermoso bosque. Era el paraíso de los animales porque ahí jamás habían puesto un pie los humanos.

Había todo tipo de árboles y parecía que el verde tenía infinita posibilidad de tonalidades. Ahí estaba el majestuoso cedro de Líbano y el humilde sauce llorón a la vera del rumoroso río. También había enormes eucaliptos de hojas olorosas y con la corteza en rizos; altos y apretados cipreses que parecían lanzas de cíclopes; pinos hirsutos con sus lágrimas de resina que impregnaban con su aroma todo el bosque y hasta un extraño y rechoncho Baobab africano que nadie sabía cómo había llegado ahí, pero que era muy respetado por toda la comunidad arborícola.

En el bosque reinaba la paz, los luminosos rayos de sol se filtraban entre el follaje calentando las pequeñas florecillas; los conejos y ardillas retozaban en el mullido pasto; arriba, en las ramas colgaban la extrañas y nunca vistas orquídeas negras; abajo, en las partes más oscuras y frescas, brotaban hongos moteados y no se oía sino el trino de los pájaros y el murmullo fresco del río. Era realmente un bosque encantado.

Pero un día se oyó un sonido que llenó de pavor a todos los árboles: ¡zzzzzhhhuuummmm!, ¡zzzzzhhhuuummmm!, ¡zzzzzhhhuuummmm!!! Es de saber que los árboles como los demás seres vivientes, tienen instinto y, por ello, sin ver aquel feroz enemigo, reconocían el sonido seco de la dura navaja con dientes de acero, amputando ramas, escupiendo aserrín y cercenando la vida de sus compañeros. El tétrico crujir de los árboles talados se acercaba como un monstruo invisible. Se escuchaba tan claro el quebrarse de las ramas, el quejido de los árboles y el desplomarse estrepitoso de los compañeros que sin ver podían llevar la cuenta de los muertos: uno, dos, tres.... Los humanos habían llegado.

Al día siguiente en medio del bosque yacían sus compañeros cortados en grandes rebanadas y, en medio, apareció algo que llenó de admiración y estupor a todos los árboles.

Un extraño árbol se erguía en medio del claro del bosque, alto, delgado, de tronco negro y sedoso, con brillantes frutos como de cristal, y de sus ramas colgaban unos largos hilos que se perdían en el horizonte.

Se inclinó el más honorable de los cedros y le preguntó:

—"Y tú, ¿quién eres?".

—"Yo", -respondió el extraño con orgullo-, "Yo soy el árbol del progreso, el que une a los pueblos y ciudades, soy el portador de la luz donde hay oscuridad; yo acorto las distancias, comunico a las personas entre sí; soy el pionero de la civilización, la base del progreso. Soy un poste de teléfonos".

Todos los árboles quedaron admirados por aquel árbol tan culto y civilizado con diamantes engastados en sus ramas. Las encinas lo miraban embobadas:

—"¡Qué árbol! ¡Qué fuste! ¡Qué esbelto!".

Los pinos chiquitos, cuando su mamá les preguntaba qué querían ser quando fueran mayores, respondían sin dudar:

—"Yo quiero ser un poste de teléfonos".

Los árboles al escuchar aquello se empezaron a poner verdes de envidia, después amarillos y al fin cafés. Entonces, el invierno gris que nunca había podido penetrar en ese bosque encantado, se introdujo como el fantasma lúgubre y vaporoso de una enorme serpiente. Las hojas se empezaron a caer, las aves emigraron y los animalitos se escondieron en sus guaridas. El bosque esmeralda perdió su color y se tornó gris, triste y solitario.

Un día se oscureció el cielo como nunca, espesas tinieblas cubrieron el valle y se precipitó con estruendo la tormenta, el viento sopló con furor de espanto; las nubes cargadas de truenos y relámpagos, descargaron sus chispas de fuego sobre el bosque: ¡burrrrummmm!!! ¡zaapztzz!!!

A la mañana siguiente, con la luz del día, en medio del claro del bosque, los árboles vieron algo que les impresionó grandemente. El rayo había caído sobre el poste de teléfonos, lo había partido en dos y ahí estaba con el tronco roto a media cintura; la cabeza y ramas torpemente precipitadas en el lodo. El anciano cedro exclamó: "¡Miren!, ¡miren!". Y todos con horror descubrieron que el árbol del progreso..., ¡estaba podrido por dentro!

Hoy más que nunca, la técnica amenaza, con destruir la sociedad. Son muchos los que erróneamente consideran que todo lo que es técnicamente

posible es moralmente lícito y ven la moral como un obstáculo contra el progreso y la libertad. Por otra parte, se están destruyendo las relaciones interpersonales. No se tiene control sobre los aparatos, juegos electrónicos, internet o celulares. Ellos nos controlan, nos aíslan, interrumpen nuestras conversaciones familiares. Ser eficaces es importante, pero la eficacia no es el máximo valor de la convivencia. Es necesario aislarnos y tener momentos de estricto reposo electrónico evitando tener una televisión en cada cuarto, una computadora en cada escritorio, unos audífonos en cada par de oídos, el celular puesto al lado del plato en la mesa o encendido en la Iglesia. Eso es un insulto a Dios y a los demás. La tecno droga está creando individuos majaderos, aislados, idos, incomunicables; incapaces de entablar un diálogo sereno con sus semejantes, sobre todo, con los seres más cercanos a nosotros y, lo que es peor, nos va empobreciendo en interioridad, dejándonos vacíos por dentro. Apaga el celular, apaga la televisión, encierra en un cajón con llave los juegos electrónicos y fíjate en ti mismo para saber si no está hueco tu corazón.

26
La cigarra y la hormiga

Si hay una fábula que todos hemos escuchado alguna vez, es la de la hormiga y la cigarra. Esta contiene una enseñanza para los perezosos que no gustan de trabajar y esforzarse y después se quejan de su triste destino. Pero pocos conocen la otra versión que se adapta mejor a nuestros tiempos, donde hay muchos que viven sólo para trabajar y se pasan el tiempo atesorando en el agujero cosas y más cosas, olvidándose de el trato con las personas, y como la hormiga, nunca tienen tiempo para convivir con la familia, salir al parque, o admirar una puesta de sol.

He aquí la fábula de La cigarra y la hormiga, escrita originalmente por José María Pemán. Leámosla completa y sin censuras.

Había una vez una hormiga roja, laboriosa, emprendedora y una cigarra de largas y brillosas alas, alegre y jacarandosa. Las dos eran buenas amigas y se saludaban con mucho respeto:

—"¡Buenos días señora hormiga!". Saludaba la cigarra desde lo alto de un árbol mientras frotaba zumbantes sus alas.

—"¡Buenos días tenga usted señora cigarra!" Respondía

la hormiga levantando la cabeza, estirando su antenas sin interrumpir su presuroso andar.

La hormiga se levantaba todos los días muy de madrugada, salía de su cálido hormiguero a cortar los trozos más verdes y jugosos de las hojas y a recoger los granos más gordos y suculentos que se encontraba por su camino. Trabajaba dieciocho horas diarias sin parar a no ser para limpiarse de vez en cuando sus avizoras antenas.

La cigarra, en cambio, se despertaba ya bien entrado el día y reclinada sobre una rama se ponía a cantar y a tocar el violín.

Pronto llegó el invierno. Los vientos fríos despojaron poco a poco a los árboles de su ya dorado follaje y jugueteaban levantando pequeños remolinos con las hojas. La cigarra empezó a tiritar de frío y a pasar hambre. Fue pues a casa de su amiga la hormiga, tocó a la puerta y cuando salió su amiga le dijo:

—"Dame un poco de comida porque tengo hambre".

Pero la hormiga respondió:

—"No te puedo dar porque este invierno parece que será muy largo, la familia es numerosa y la cosecha no fue tan abundante como esperaba; pero además no te lo mereces, porque tú has pasado el tiempo cantando y tocando tu violín, mientras yo he sudado y trabajado duro y macizo...", y le cerró la puerta en la cara.

Aquí terminaba la primera parte y se sacaba la moraleja siguiente: "Tienes que trabajar ahora que puedes para que tengas pan y sosiego cuando vengan tiempos difíciles".

Pero ahí no termina la historia...

La segunda parte cuenta que la cigarra a pesar del frío y del hambre siguió tocando su violín, pero con el pasar del tiempo el sonido del violín se fue haciendo más débil hasta que se dejó de oír.

Una mañana, salió la hormiga a quitar la nieve de la entrada de su casa, cuando vio a lo lejos un extraño rayo de luces multicolores, se acercó curiosa a ver qué era aquello y descubrió que era el brillo del sol reflejándose en las cristalinas alas de la cigarra que yacía muerta.

Fue entonces cuando la hormiga se dio cuenta de que algo faltaba en el jardín desde que dejó de oír el canto de la cigarra. El invierno fue largo, crudo y silencioso, la hormiga tenía la casa caliente y el estómago lleno, pero su corazón estaba triste y vacío porque no se escuchaba el canto y el dulce violín de la alegre cigarra.

Entonces la hormiga descubrió que no hay invierno más frío que el de un corazón egoísta y mezquino.

La moraleja final es, ciertamente, que debemos trabajar para vivir, pero no que vivamos para almacenar. La verdadera alegría no nos la da el acumular cosas y más cosas, sino en el convivir y el compartir con los demás, lo mucho o poco que tengamos.

27
La batalla infernal

El 26 de mayo de 1862, Don Bosco había prometido a los niños que les contaría algo bonito, en el último o penúltimo día del mes, entonces en la noche del 30 de mayo, él narró este "sueño-parábola", o como él prefería llamarla, una alegoría.

Hace varias noches tuve un sueño. Cierto, los sueños no son nada sino puros sueños, aún así se los cuento para su beneficio espiritual, igual como les contaría mis pecados, sólo que temo que correrían tanto como si se estuviera cayendo el techo.

Estaba en un enorme acantilado, abajo muy abajo se veía el mar y no se veía tierra por ningún lado. El mar estaba lleno de barcos, unos grandes y otros pequeños ya formados para el combate. Todos estaban bien armados con cañones, bombas y armas de fuego de todo tipo, y cosa extraña, hasta libros. Todos se estaban dirigiendo hacia un gran barco, muy parecido a las grandes naves de guerra romanas, que enarbolaba una bandera blanca y amarilla, la más grande y poderosa de todas. Comenzó entonces la batalla y los navíos enemigos se acercaron al gran barco tratando de chocarlo, de prenderle fuego y dañarlo lo más posible.

La gran nave estaba rodeada por una flotilla de barcos amigos. Pero los vientos y las olas estaban con los enemigos. En la distancia, muy a lo lejos, se veían dos columnas blancas sólidas, entre ellas había poca distancia como si fueran la entrada de un gran templo. Las columnas llegaban hasta el cielo. Sobre una columna estaba una imagen de la Virgen Inmaculada y a sus pies había una inscripción en la que se leía: "Auxilio de los cristianos"; la otra columna; que era más fuerte, sostenía una Hostia de gran tamaño y su inscripción leía: "Salvación de los creyentes".

El almirante romano de la embarcación, viendo la furia del enemigo y la situación de sus barcos en peligro, llamó a sus capitanes a una conferencia. Pero mientras planeaban su estrategia, cayó una fuerte tempestad y tuvieron que regresar a sus barcos.

Cuando la tempestad amainó un poco, el almirante otra vez reunió a sus capitanes, mientras la nave seguía su curso; pero la tempestad de nuevo se levantó con aún mayor fuerza. Las olas se levantaban con furor y rompían con toda su fuerza a babor y estribor. El almirante tomó entonces el timón y con todo su esfuerzo luchó por conducir la nave entre las dos columnas.

Entonces, todos los barcos enemigos se acercaron para hundir la nave principal a toda costa. La bombardearon con todo lo que tenían: cañones y armas de fuego y hasta con libros y folletos. La batalla se tornó rabiosa y hubo un momento en que no se sabía quiénes eran amigos y quiénes enemigos. Vi entonces en mi sueño algo extraño, cuando las proas del enemigo chocaban contra el barco del almirante romano y lograban causarle algún daño. De una de las columnas se desprendía un rayo como la luz intensa de un faro que reparaba el daño e impedía que la nave se hundiera.

Mientras tanto, al chocar contra el navío romano los otros barcos se quebraban y se hundían con sus cañones y armas. Como último recurso, el enemigo empezó a atacar cuerpo a cuerpo, abordaron el gran navío gritando maldiciones y blasfemias. De repente, el almirante cayó herido pero le ayudaron a levantarse, pero cayó una segunda vez y esta vez murió. El enemigo lanzó un grito de victoria y empezaron a celebrar.

Pero estando en ello vieron que la bandera blanco amarilla se izaba de nuevo y apareció en el timón un nuevo almirante. Los capitanes de la flotilla de barcos auxiliadores fueron tan rápidos en la elección de un sucesor, que la noticia de la muerte del primero llegó al mismo tiempo que el anuncio de la elección del segundo. El ánimo de los enemigos se derrumbó.

El nuevo almirante sobrepasó toda resistencia y condujo la nave a salvo entre las dos columnas. Echó las amarras primero a la columna que sostenía la Hostia y luego a la de la Virgen. Entonces algo inesperado pasó. La luz de la columna los alumbró entonces a ellos y el resplandor los cegó, los barcos enemigos se dispersaron, chocando unos con otros en el pánico.

Uno de los barcos de la flotilla amiga, que habían luchado valerosamente al lado de la nave principal, fue el primero en amarrarse fuertemente a las columnas. Muchos otros que se habían quedado lejos de la batalla por temor, esperaron cuidadosamente hasta que desaparecieron los barcos enemigos en la distancia.

Entonces vi en mi sueño cómo también la flotilla de pequeños barcos se dirigía hacia las columnas y se amarraban a ellas. Entonces se presentó una gran calma en el mar y vi navegar a todos los pequeños barcos a lado del almirante romano

Entonces Don Bosco, le preguntó el Padre Rua:

—"¿Qué piensa que significa esto?".

Él contestó:

—"Creo que la nave principal simboliza la Iglesia comandada por el Papa; las naves pequeñas son los hombres y el mar es el mundo. Los defensores de la nave la flotilla amiga son los seglares fieles a la Iglesia; los que atacan son sus enemigos que luchan para destruirla con todas sus armas. Las dos columnas, digo yo, simbolizan la devoción a María la Madre de nuestro único Salvador y la devoción a la Eucaristía, el pan de vida".

El Padre Rua no mencionó que el Papa murió. Don Bosco también guardó silencio sobre este punto, simplemente añadió:

—"Muy bien, con la excepción de una cosa: los barcos enemigos simbolizan las persecuciones. Pruebas muy graves esperan a la Iglesia. Lo que hemos sufrido hasta ahora no es nada comparado a lo que viene. Los enemigos de la Iglesia son simbolizados por los barcos que luchan por hundir la nave principal. Solamente hay dos cosas que nos pueden salvar en la hora del peligro: la devoción a María y la comunión frecuente. Tratemos de usar estos dos medios lo mejor posible y hacer que otros los usen en todo lugar".

Hasta ahí el sueño y la interpretación dada por el padre Rua y el mismo Don Bosco. A muchos nosotros que nos ha tocado vivir en los tiempos de confusión y desbandada en la Iglesia después del Concilio Vaticano II. Incluso, puede parecernos que esta profecía se refiere a estos tiempos. Incluso alguien ha insinuado que el Papa herido podría ser el Papa Juan Pablo II y los sucesos de 13 mayo de 1981. Pero algo de este sueño-profecía aún está incompleto. Lo importante es que a todos nos quede la certeza, de que la Iglesia es aquella

donde el Papa lleva el timón y que la devoción a la Santísima Virgen y el culto a la Eucaristía son las columnas a las que nos debemos amarrar los cristianos en los tiempos difíciles. ¡Buenas noches!

28

La princesa y la luna

Había gran tristeza en el palacio. Se oían los sollozos de la reina, encerrada en su alcoba. El rey estaba sentado en su trono con la cara entre las manos. Nadie levantaba la voz, y hasta el bufón había dejado de hacer sus gracias que ya no hacían reír ni levantaban el ánimo de nadie. Hasta parecía que toda la naturaleza estaba triste, y los días eran grises, monótonos, sin vida.

¿Qué había sucedido en aquel lugar que hacía poco tiempo era conocido como "Reino alegría". Sí, así lo llamaban los vecinos debido a las numerosas fiestas que el rey había ofrecido por el nacimiento de la pequeña princesa.

Ella era la alegría y orgullo de sus padres. Cuando la niña creció un poco, el viejo bufón pareció rejuvenecer porque la pequeña festejaba sus más insulsas gracias con su risa infantil, fresca y contagiosa.

Hacía ya siete años de su nacimiento y se acercaba el octavo cuando la niña empezó a sentirse triste y enferma. Llevaba varias semanas que no se levantaba de su lecho ni siquiera a mirar por la ventana.

En su amplia recámara, cobijada por un mar de encajes rosas, yacía la princesa. Sus grandes ojos azules se humedecían súbitamente y una perla de luz rodaba por sus pálidas mejillas hasta empapar la mullida almohada.

A su alrededor estaban lo médicos más afamados del país, y en sus caras se veía la frustración de no poder descubrir el mal que aquejaba a la princesa y la sumía en honda tristeza.

—"Nada Majestad, no hay nada que pueda curar a la princesa, perecería que ya no quiere vivir", dijo el médico de la corte.

El rey en su desesperación -que lo perdone Dios-, mandó llamar a brujos, magos, y adivinos y ofreció, a cualquiera que pudiera sanar a la princesa, una enorme recompensa. Pero ni hechizos, ni ciencia, ni arte alguno pudo encontrar la cura para tan extraña enfermedad.

—"Nada Majestad, no hay nada que hacer", le dijeron.

Fue entonces cuando el bufón pidió permiso para entrar a hablar con la princesa, cosa que le fue inmediatamente concedida.

—"¿Qué te pasa mi querida niña?" "¿Qué puedo hacer para que me regales una de tus sonrisas de sol?".

—"Quiero...", dijo la niña con débil voz: "Quiero que me des la luna".

El bufón salió corriendo y sin ninguna reverencia entró donde el rey y le informó:

—"Ya encontré la solución para sanar a la princesa de su triste enfermedad, ella quiere que su majestad le dé la luna".

El rey, que estaba acostumbrado a dar órdenes, sin más indicó:

—"¡Que le traigan inmediatamente la luna!".

Se convocó de nuevo a todos los reyes, magos, sabios y adivinos.

—La princesa quiere, de inmediato, la luna.

—"¿Que, qué? ¿La luna? ¿La luuuuna? !Imposible!".

Se marcharon uno tras otro y el rey volvió a dejar caer la cabeza entre sus manos.

—"Permítame su majestad", interrumpió el bufón, "hablaré de nuevo con la princesa".

El rey asintió, casi sin ganas, y el bufón entró de nuevo a la alcoba.

—"Dime niña mía, ¿para qué quieres la luna?".

—"Para colgármela del cuello", respondió sin inmutarse la princesa.

—"¿Para colgártela del cuello? Pero... ¿cómo te la vas a colgar del cuello?".

—"No seas bobo, bufón. Cómo podría ser sino como la niñas se cuelga las cosas al cuello: con un hilo de plata".

—"Pero y ¿cómo te imaginas la luna?".

—"La luna es como la vemos" dijo la princesa. "Es redonda, brillante y de plata".

—"Y, ¿qué tan grande será la luna?".

—"No mucho" dijo la princesa y levantando la mano señaló: "¡Mira! Desde aquí la puedo cubrir con mi dedo pulgar".

El bufón entonces pidió al joyero del rey hacer una luna idéntica a la que se veía en cielo del tamaño de un dedo pulgar, la colgó de un hilo de plata y se la llevó a la princesa. Cuando la princesa vio la luna colgando del hilo de plata, por primera vez en mucho tiempo, abrió sus grandes ojos y una leve sonrisa amaneció en su rostro.

Aquella mañana el sol entró con fuerza por todas las

ventanas del palacio y todos en la corte se llenaron de alegría al enterarse que la princesa había recuperado su rostro alegre.

En ese momento el bufón cayó en la cuenta de una tragedia que se cernía y que nadie había previsto. En efecto, esa noche, esa misma noche, la luna iba a aparecer de nuevo en el cielo y la princesa descubriría que todo había sido un engaño.

El rey informado de lo que se avecinaba volvió a convocar de emergencia a los sabios, magos y adivinos.

—"Que se cierren las ventanas y se corran las cortinas", propuso el primero.

—"¡No! Que se ponga una manta negra en la ventana y se le pinten las estrellas", sugirió el segundo.

—"¡No! Mejor, que se ponga sobre una larga lanza un disco negro y que alguien durante la noche cubra la luna de la vista de la princesa", corrigió el tercero.

El rey se dejó caer sobre su trono triste y desesperado sabiendo que todo sería inútil.

El bufón insistió:

—"Dejadme, su majestad, hablar una vez más con la princesa...". Y así lo hizo.

—"Dime, princesa, ¿no te parece un poco egoísta que quieras tener la luna para ti sola?". "¿Qué va a decir la demás gente del reino cuando esta noche no aparezca la luna? Todos se enterarán que tú se las has quitado y les vas a dar un terrible disgusto".

—"No seas bobo bufón", replicó la pequeña, esta vez con una sonrisa. "Cuando tú cortas una flor -explicó-, no se acaban las flores, sino que brota otra igual de hermosa. Pues lo mismo sucederá con la luna, esta noche volverá a salir otra igual de hermosa.

A pesar que el cuento es muy antiguo, la enseñanza es actual. Ésta es que, a pesar de que hemos logrado fabulosos avances en los medios de comunicación hasta borrar las fronteras, la comunicación en el hogar entre marido y mujer, entre padres e hijos se torna casi imposible. El problema no está en el lenguaje, ni en las diferencias de edad o de sexo, sino en que, a diferencia del bufón, no sabemos escuchar, no sabemos salir de nuestro mundo y meternos en el mundo de la otra persona. El problema de la comunicación es un problema de egoísmo y de desinterés por la manera de ver, sentir y pensar de los demás.

Como el rey, algunos consideran que los problemas de la vida se resuelven dando órdenes, ofreciendo recompensas o incluso, a gritos y a golpes. Aunque eso pudiera funcionar en un cuartel, el hogar es diferente. Las personas necesitan atención, aprecio, estima y esto se demuestra especialmente hablando sin prisas, escuchando, tratando de entender su manera de pensar, su punto de vista, esforzándome, como el bufón, por sintonizar con las ansias de su corazón.

29

El príncipe persa

El escritor francés Anatole France cuenta una leyenda de un príncipe persa riquísimo, muy joven y poderoso, quien, el mismo día que subió al trono, mandó llamar a todos los hombres sabios de todas las regiones de su vasto imperio para hacerles una consulta.

El día establecido se fueron presentando los invitados. Algunos se parecían al mago Merlín: llevaban sombrero en forma de cono con estrellas bordadas y lucían larga barba blanca. Otros iban envueltos con una capa al estilo Drácula y cargaban tablas con los signos astrales. Unos más traían bajo el brazo viejos pergaminos, piedras para encantos o algún libro de fórmulas secretas. En total se reunieron 101 sabios en el palacio.

—"Mi padre me enseñó -dijo el príncipe con tono solemne-, que un soberano es menos propenso a cometer errores cuanto más conoce y se instruye en las cosas pasadas. Por lo tanto, les pido que recopilen una enciclopedia de la historia de la humanidad en la cual quede registrado todo hecho, relato, suceso, o gran acontecimiento que contenga enseñanza y guía".

Los 101 sabios se retiraron de su presencia y tras una larga y calurosa discusión decidieron que la ingente tarea que les había encomendado el príncipe sólo sería posible si todos trabajaban juntos. El príncipe entonces, les facilitó como recinto para su trabajo uno de los castillos conquistado no hacía mucho en fiera batalla y que se encontraba en la cima de una alta montaña.

Veinte años después, una caravana de camellos se acercó al palacio, los sabios habían al fin cumplido su tarea. Los servidores empezaron a descargar de las gibas de los camellos enormes cofres de madera cargados de libros.

Los sabios se presentaron ante el príncipe y haciendo las reverencias acostumbradas le dijeron:

—"¡Oh! príncipe, así nos lo has ordenado, así se ha hecho. Aquí tienes el trabajo de los 101 sabios, algunos de los cuales ya han muerto".

Le presentaron entonces, seis mil volúmenes gruesos que habían escrito.

—"Aquí dentro -explicó uno de ellos-, se encuentra descrita con detalle toda la historia de la humanidad, cada hilo -si bien muy delgado- del intrincado tapiz de los acontecimientos, ha sido incluido en estos libros de manera que tú, gran príncipe, puedas orientar tus decisiones de gobierno y seas un guía sabio para tus súbditos".

Además de la historia hemos incluido todos los conocimientos de las ciencias naturales, las matemáticas y la geometría, la astrología y la cosmología, la política, la filosofía, el arte, la poesía y todas las disciplinas creadas por el ingenio humano en el curso de la historia. No falta nada de lo que en este mundo es posible saber y aprender para ser sabio.

El príncipe movió la cabeza. Las ocupaciones de gobierno

y los consiguientes problemas absorbían la mayor parte de su tiempo. No le sería posible -protestó-, ni siquiera hojear cada uno de los volúmenes. Así que encomendó a los sabios que quedaban, que todo ese material fuera resumido.

Los sabios se dedicaron 10 años más a esta pesada tarea y al final se presentaron ante el príncipe 35 de los sabios que quedaban, pues unos por enfermedad y otros por muerte se habían retirado. Esta vez la caravana se componía de unos cuantos camellos. Habían logrado condensar en mil volúmenes lo más bello y útil de la historia de la humanidad que toda persona culta debería de conocer. Pero el príncipe, que ya estaba viejo y algo cansado, movió la cabeza con enfado y les pidió que también estos mil volúmenes fueran condensados, resumidos y abreviados en lo más esencial, de manera que los pudiera leer en el poco tiempo que tenía reservado para su lectura.

Algunos años después, cinco sabios se presentaron ante el príncipe con un grueso volumen que sostenía uno de sus siervos con los dos brazos. El príncipe estaba en su lecho muy enfermo y se le acababan las fuerzas tanto que no pudo ni hojear aquel pesado volumen. Así que sin decir palabra alguna meneó de nuevo la cabeza.

Un mes después, el más anciano de los sabios que quedaba en el reino entró de nuevo al palacio. Las ventanas estaban cerradas y las largas cortinas corridas. Los cortesanos lloraban. El príncipe estaba en agonía.

El sabio se inclinó sobre el príncipe y le advirtió:

—"Majestad, moriréis sin antes conocer toda la historia de la humanidad. Se la diré en pocas palabras" y, acercándose al oído del moribundo, le susurró clara y distintamente estas palabras:

—"Las personas nacen, sufren y mueren".

Este cuento se entiende mejor si conocemos el escepticismo del autor que en otra de sus obras escribió:

"Verdaderamente es preciso no pensar en nada, para no sentir el trágico absurdo del vivir. Y la raíz de nuestra tristeza y de nuestro hastío está en la absoluta ignorancia de nuestra razón de ser. En un mundo donde toda iluminación de la fe está extinguida, el mal y el dolor pierden su significación y no parecen sino odiosas chanzas y farsas siniestras" (Anatole France, Jardín de Epicuro*).*

Precisamente para que nuestro paso por el mundo no sea un absurdo vivir, es necesario que, iluminados por la fe, cada uno de nosotros descubramos nuestra misión y no dejemos que se nos vaya la vida encomendando a otros esa tarea.

Quizá está más cerca de responder a la inquietud de este príncipe, la siguiente anécdota.

Cuando los primeros misioneros llegaron a Inglaterra fueron a pedir permiso al rey sajón Ethelbert para hablar de Cristo a su gente. El rey dudaba de otorgar a aquellos extranjeros la libertad para predicar, cuando de pronto una avecilla entró por una ventana del palacio y, revoloteando inquieta, cruzó la amplia sala y salió por la ventana opuesta.

Mientras el rey deliberaba con sus consejeros, uno de los nobles de la corte observó:

—"Señor, tú mismo y todos los presentes acabamos de ver esa avecilla cruzar esta luminosa sala. ¿De dónde vino? ¿A dónde se fue? Nadie aquí podría decirlo. Por tanto, si es verdad que estos venerables visitantes nos pueden decir de dónde venimos y adónde vamos, creo que todos deberíamos escuchar su mensaje".

Al oír estas palabras Ethelbert permitió a los misioneros de Roma predicar y eventualmente se convirtió aquel en un país cristiano.

Nadie vino al mundo para cumplir tan sólo con su ciclo biológico:

nacer, crecer, reproducirse y morir, sino para cumplir una misión y dejar huella en la historia en su camino a la eternidad. Lo importante es saber esto para no equivocarse.

30
La hoja de maple

Había una vez una hoja de maple, la más hermosa que puedan imaginarse. Sus contornos no eran los común y corrientes de la hoja lanceolada, ni tampoco la forma arisca de las hojas aserradas. No, ésta era una hoja de maple de contornos suaves y ondulados, una hoja que los botánicos llaman palmeada, pero más que una palma esta hoja asemejaba la delicada mano de una doncella que se ofrece al beso galante de un caballero. Se vestía de cristalinas gotas de rocío todas las mañanas que rodaba por su sedoso limo de color verde esmeralda y caían como una cascada de perlas en el prado.

Su tierno pecíolo estaba adherido a la rama más alta de un alto, recio y frondoso árbol y con él se nutría de la sabia más pura y refinada que subía pujante por el añejo tronco. El más blando céfiro la hacía girar con los brazos en alto como bailarina de ballet que gira sobre un sólo pie.

Pero con el pasar del tiempo el árbol creció y otras ramas y otras hojas le empezaron a hacer sombra y eso le molestaba enormemente y ya no se sentía feliz. Un día viendo a sus compañeras allá abajo retozando en el prado pensó: "¡Qué triste es ser una hoja de árbol ¿Por qué tengo siempre que estar aquí atada como todas las demás?" "¡Yo quiero ser libre, quiero tener nuevas experiencias, quiero conocer el mundo!" Y con aquellos pensamiento su vida se volvió un tormento y le reclamaba a Dios alegando que ella no quería ser más esclava del árbol, que quería ser libre; libre como el agua del río, como la nube blanca, como el viento.

Aquella noche un endiablado huracán azotó el bosque, el árbol se doblaba y crujía y en un contragolpe, la hoja verde se desprendió.

Al principio, la hoja sintió dolor, pero poco a poco voló por los aires y experimentó un extraño vértigo y una indecible emoción: "¡Al fin soy libre! ¡Qué felicidad, qué agradable sensación!" Y así raudamente se la llevó por los aires el viento.

A la mañana siguiente se despertó en un hermoso valle lleno de flores, cálido y perfumado. La hoja de maple se sentía feliz como nunca, sintiendo en su espalda el agradable cosquilleo del pasto, pero volvió a soplar el viento y esta vez la llevó a un precipicio y arrastró por la oscura y fría barranca. La hoja sintió mucho miedo y soledad, pero aquel malestar se acabó cuando, de pronto, si saber cómo, se encontró en los brazos de un inquieto torbellino que la levantó y en un instante la transportó a las alturas dejándola caer sobre una montaña cubierta de blanca nieve. La hoja de Maple se sentía de nuevo embriagada de gozo.

Pero aquella ventura no duró mucho tiempo pues ahora, una borrasca de viento y nieve la empujó al valle, la llevó a la ciudad y la arrastró con los papeles y basura por calles y baquetas hasta parar en un muladar. Entonces, deprimida y llorosa, se sentía basura entre la basura.

Sin embargo un viento callejero la levantó con fuerza y la arrojó al río; ahí se dejó arrastrar por la corriente con otras muchas hojas de todos colores. Con el agua fresca y azul del río se le quitó el polvo y la suciedad, pero para su asombro, descubrió unas manchas café y amarillas en todo su cuerpo. Poco le importó en aquel momento en que como pequeña barquilla se deslizaba por la superficie del río y contemplaba extasiada paisajes desconocidos y así fue por algún tiempo, pero el río la fue haciendo a un lado y la arrojó a la orilla cenagosa y llena de lodo.

La hoja maldijo su suerte al encontrarse en ese horrible lugar, además las manchas habían cubierto todo su cuerpo y su antes aterciopelada piel se había tornado dura y seca. Entonces llorando le pidió a Dios: “Señor devuélveme a mi sitio, aunque esté ahí esclava del árbol y no dejes que muera en este inmundo lodazal”.

El Señor le respondió:

—“Querida hija, yo no creo esclavos. A todos los creo libres, pero en su lugar: la libertad del ave son las alas; la libertad del pez es el agua; la libertad de la hoja es el árbol que la sostiene y alimenta; la libertad del hombre es la ley de Dios. La verdadera esclavitud es la del que se deja arrastrar irreflexivamente por el huracán ciego de sus pasiones, por el torbellino veleidoso de sus sentimientos, por la precipitada corriente del mundo con sus cambiantes modas y, por eso, a ti como a muchas personas, hoy les aburre lo que antes les entusiasmaba, hoy desprecian lo que antes codiciaban, hoy odian lo que ayer amaban.

—“Señor, entonces devuélveme a mi lugar, yo quiero ser lo que tú quieres: hoja del árbol de tu jardín”.

Entonces el Señor envió un ángel que recogió la hoja casi muerta y la puso en el árbol de su jardín, el árbol del que habla el Salmo primero, sembrado a lado de la acequia cuyas hojas son siempre verdes y da fruto todos los años; y lo mismo hará contigo si en vez de dejarte arrastrar por tus caprichos y veleidades te pone en sus manos.

Cristo es el árbol de la vida. Para dar fruto y no ser víctima de los vientos de nuestras pasiones, la corriente de las modas y terminar en el basurero del mundo, debemos mantenernos adheridos a Él por la fe, por la gracia y por el amor.

31

Los magos y los majes

Este relato tuvo lugar en los tiempos en que el Medio Oriente estaba dividido en dos reinos: el de los magos y el de los majes.

Una noche apareció en el cielo una estrella inmensa y reluciente y, además, verdaderamente extraña, porque no estaba fija, sino que se movía lentamente, dejando una cauda luminosa de color azul.

Es obvio que en aquellos tiempos, cuando todavía no había aparatos de esos que apantallan en un cuarto cerrado, la gente tenía más tiempo para contemplar la naturaleza, asomarse el cielo y, por tanto, es creíble que fueron muchos los que vieron aquella maravilla celeste. Para algunos no pasaba de ser un fenómeno extraordinario que se prestó para tener entretenidas charlas en la taberna; para otros se trataba de un signo de cielo y se prestó para acaloradas discusiones en la plaza y en el mercado. Pero hubo algunos que no sólo vieron, sino supieron leer el mensaje y descifrar el misterio y, haciendo maletas de generosidad, emprendieron el viaje. Tanto los magos como los majes vieron lo mismo, entendieron lo mismo, pero su actitud fue muy diferente y he aquí lo que sucedió...

El primer príncipe maje hizo maletas, ordenó a sus siervos cargar sus camellos. Ya estaba listo para el viaje, cuando su mujer y sus hijos salieron a detenerlo.

—"Pero, ¿a dónde vas?", le preguntaron.

—"A visitar a un gran rey que ha nacido".

—"Pero, ¿quién es ese rey, cómo se llama y cuando volverás?".

—"No lo sé".

—"Debes estar loco. ¿Has pensado en que el viaje es muy largo y no sabes los peligros de fieras y bandidos?", observó su prudente mujer.

—"¿Y si después no encuentras nada?", añadió el primogénito.

—"¿Y si encuentras y no obtienes ningún beneficio?",

-completó su hija-.

Sus ganas de aventura eran muchas, pero las palabras sensatas de su mujer y sus hijos le hicieron reflexionar y en el último instante se arrepintió y nunca emprendió el viaje.

Al segundo príncipe maje -digo segundo para distinguirlo del primero, porque la verdad es que nadie se acuerda de sus nombres, lo único que sabemos es que eran majes-, a él también sus familiares trataron de disuadirlo, pero fue más decidido. Cargó cinco elefantes con equipaje, se hizo acompañar de sus mejores esclavos y emprendió el viaje. Ciertamente no tenía miedo a fieras ni a bandidos, pero a los pocos días de emprender la odisea, notó algo desconcertante: había avanzado ya muchas millas y, a pesar de ello, la estrella seguía a la misma distancia; si él avanzaba la estrella avanzaba, si él se detenía, la estrella se detenía. Había calculado que en pocos días o quizá algunas semanas llegaría al lugar, encontraría el palacio del rey y volvería con fortuna, pero aquello le disgustó. Después de comprobar por unos días más que, a pesar de marchas forzadas, la estrella seguía la misma distancia, se desanimó y regresó a casa.

El tercer príncipe maje también tuvo que enfrentar las mismas dificultades, pero sus deseos de fama y fortuna fueron más grandes y, montado solo en un brioso caballo, emprendió la aventura y más adelante veremos lo que le sucedió.

Gaspar era rey -de eso no hay duda-, quizá no de esos de castillo y corona, pero era respetado y admirado por todos en su pueblo. Era un hombre austero, disciplinado y se hacía obedecer como soberano, más por su sabiduría y bondad que por la fuerza. Como hombre del desierto, tenía su tienda junto a un pequeño oasis, era comerciante y vivía de la compraventa a las caravanas que venían de Babilonia y se detenían en ese lugar, estratégicamente situado en la ruta de la media luna que conduce a Egipto. Como seguidor del gran maestro Zoroastro, sabía que el cielo regía nuestros destinos. Su pasión era contemplar las estrellas en las noches claras y serenas, todos esos astros que parecían poderse tocar.

Cuando sus dos hijos eran pequeños, solía contarles las historias de cada una de las estrellas y les enseñaba los nombres de las constelaciones. Él siempre enseñó a sus hijos a mirar el cielo y les explicaba que, según estaba escrito en el Avesta -libro que contiene las enseñanzas de Zoroastro-, cada persona tiene una estrella. Cuando nace uno, esa estrella aparece en el cielo, si la persona es buena en su vida, esa estrella brilla con fulgor inextinguible, pero si el hombre es, la estrella caerá del cielo y como espíritu inquieto rodará por valles y desiertos.

Una noche notó algo extraño en el cielo, había un gran

resplandor, era una estrella de larga cauda y brillaba más que cualquier otro astro en el cielo. Dedicó varios días a buscar en los libros más antiguos una posible explicación de aquello y descubrió que el Avesta profetizaba el nacimiento de un gran personaje que traería al mundo una era de paz. ¿Sería verdad aquello? Habría que averiguarlo. Pero no iría con las manos vacías. Como era comerciante en especies, le llevaría un frasco de alabastro lleno de aromática mirra. Anunció a sus hijos de aquella misión. Al principio trataron de disuadirlo, pero al ver que nada lograban por ese camino, se ofrecieron a acompañarlo. Pero él rechazó la propuesta diciendo:

—"Hijos, cada uno tiene su misión del cielo. Si, como pienso, este personaje llega ser el rey de la paz, ganaremos mejor su favor ahora que es pequeño que cuando sea grande y poderoso, además, no se preocupen, que para hacer negocios he viajado más lejos".

Persuadidos por sus palabras los hijos dejaron partir a su padre.

Melchor era un hombre avanzado en edad, sabio y gran astrónomo, respetado por todos por su sabiduría que, además, dirigía una escuela en Alejandría. Melchor tenía una teoría muy original. Según él, el mundo estaba encerrado en una inmensa bóveda celeste. Cuando era de día, el sol hacía que la esfera se viera azul, pero de noche se veía negra. Las estrellas no eran sino orificios en la bóveda celeste que hacían los espíritus cuando bajaban a la tierra. La luz que desprendían las estrellas, no era sino la luz celeste que había fuera de la esfera y se filtraba por el orificio dejado por los espíritus al cruzar la bóveda celeste.

Cuando vio brillar la estrella de Belén, él estaba seguro de que un alma grande había bajado a la tierra y había que ir a ofrecerle presentes. Se me olvidaba decir que Melchor era mago, pero no de esos que sacan conejos de los sombreros. La magia de Melchor era muy rara, casi exótica, pues hacía desaparecer sus posesiones y luego, sin que nadie supiera cómo, aparecían en las mesas de los pobres y en las manos de los mendigos.

Su esposa trató de disuadirlo, el camino era largo y peligroso -insistía-, pero Melchor replicó con firmeza que al cielo no hay que hacerlo esperar. En su tierra se daban maderas resinosas y aromáticas, así que preparó él mismo una mezcla de incienso purísimo, alquiló un camello y emprendió el solitario viaje.

Baltazar era un príncipe poderoso y rico. Éste sí era de los que tienen castillo y corona, además era astrónomo y un hombre culto, a tal grado que lo que más apreciaba de sus posesiones eran sus libros que le enriquecían interiormente. Esto le daba una cualidad muy rara entre los príncipes y es que sabía tratar a todos con sencillez y, junto a él, se sentían a gusto tanto los nobles como los campesinos. Era tan experto en el tema que, cuando vio la estrella, no le quedó duda alguna: era el anuncio de un gran rey que había nacido. Había que llevarle lo que un rey merece: oro.

Nuestros personajes vivían, cada uno en un lugar diferente pero, conforme se fueron acercando a Jerusalén, primero se juntaron dos, después tres y finalmente se les unió el príncipe cuyo nombre ignoramos y sólo sabemos que era maje. Se reunieron aquella noche en la tienda de Baltazar que era la más grande de las cuatro y estaba adornada suntuosamente y ahí, reclinados sobre grandes dorados y mullidos cojines, comenzaron a contar sus historias:

—"¿Viste la estrella?".

—"¡Sí!, ¡sí que la vi!, ¿y tú?".

—"Yo también. Hace tres meses que emprendí el viaje".

—"Es un gran personaje -dijo Gaspar-, presiento que tendrá muchos enemigos que tratarán de destronarlo y habrá de sufrir mucho antes que reine la paz, por eso le llevo mirra".

—"Yo -añadió Melchor-, estoy convencido que es un alma grande que ha venido a traernos un mensaje del cielo. El merece el más puro incienso".

—"Según mis estudios -precisó Baltazar-, tiene que ser un gran rey y mi presente es lo que un rey merece: oro".

—"Y tú, ¿qué le llevas? -preguntó Gaspar al rey maje-.

—"¿Yo? -exclamó el príncipe maje asombrado-. ¿Qué no es un rey? Los reyes no necesitan nada. Yo voy a ver qué me da él. ¿Ustedes creen que hubiera emprendido un viaje tan peligroso si la estrella no me hubiera anunciado buena fortuna?".

Los demás no respondieron, continuaron la conversación contando divertidas anécdotas de su vida. Al día siguiente recogieron sus tiendas y continuaron juntos el camino, pero aquella misma tarde sucedió algo inesperado. El cielo era claro y no había ninguna nube en el horizonte, sin embargo, la estrella..., la estrella que los guiaba había desaparecido. El cielo sin aquel resplandor parecía que se había quedado vacío. No sabían que pensar ni cómo interpretar aquello. Después de tanto esfuerzo se encontraban sin pista alguna y estaban desconcertados.

Melchor, el anciano del grupo, intervino:

—"No se preocupen, ya estamos cerca de Jerusalén, si es un rey, de seguro todos estarán enterados de su nacimiento. Vayamos allá y pidamos información sobre el asunto".

Pero el príncipe maje protestó:

—"¡Ni hablar! Sin estrella no hay fortuna, será imposible encontrarlo".

Se cruzaron miradas: él, dudoso; los demás, decididos.

Entonces el príncipe maje, tirando las riendas de su caballo dio media vuelta y emprendió el camino de regreso.

Los reyes magos siguieron con la mirada a aquel compañero suyo que se alejaba y haciéndose cada vez más pequeño, se perdió en el horizonte oscuro de la noche.

Los tres reyes se dirigieron a Jerusalén. Era de madrugada cuando cruzaron la gran muralla y, dentro de ella, ya hervía el bullicio de la gente y los gritos de los mercaderes. Al instante aquellos tres personajes atrajeron la atención de todo el pueblo y especialmente de los niños que corrían a verlos como si hubiera llegado el circo.

—"Buscamos al rey de los judíos", dijeron a uno que parecía ser vigilante del orden pues llevaba un lanza y estaba apostado en una de las entradas principales.

—"¿El rey? ¿Y en qué otro lugar podría estar sino en el palacio?", y señalando con la lanza añadió: "Diríjanse hacia aquella almena que se ve a lo lejos...".

Así llegaron al palacio y después de seguir todo el protocolo, el rey los recibió con tono solemne:

—"Se me ha comunicado que vienen de lejos a traer presentes al rey de los judíos. ¡A sus órdenes caballeros! ¿Qué me habéis traído?".

Melchor, tomando la palabra le dijo:

—"Majestad, parece que no nos hemos explicado bien, y por favor no me malentienda, pero no se trata de un rey gordo con barbas, sino más bien de uno que acaba de nacer".

Cuando se enteró el rey que era otro al que andaban buscando y que además venían a adorarle como si fuera el César. Dice el autor original de este relato que se sobresaltó, y con él, toda Jerusalén. Y no era para menos, el rey no tenía un pelo de tonto y sabía bien que dos no caben en el mismo trono, tarde o temprano uno prevalecería sobre el otro. El sobresalto del pueblo no fue menor, pero la razón fue diferente: la llegada de otro soberano suponía algo así como cambio de gobierno y a todos los arrimados de la actual autoridad, desde el caballerango hasta el copero, se les iba a acabar el trabajo, las ventajas y los privilegios.

El rey quiso cerciorarse primero de la veracidad de aquel relato y mandó llamar a los estudiosos de los libros sagrados, y en su presencia se leyó un pasaje que decía textualmente: "Tú, Belén, en territorio de Judá, no eres ni mucho menos la última de las poblaciones de Judá, pues de ti saldrá un jefe, el pastor de mi pueblo, Israel" (Mateo 2:6). Al oír la palabra "jefe" el rey se turbó aun más. No había duda de que ese personaje buscaría ganarse el favor de la gente, organizar una revuelta y destronarlo a él. Debía actuar pronto.

Así, el rey decidió arreglar el asunto lo más discretamente posible. No era prudente que otros se enteraran de sus propósitos. Llamó aparte a los magos y procuró informarse de todos los datos y del tiempo de la aparición de la estrella. Después les ofreció un buen banquete a los visitantes y los envió a Belén dándoles una palmadita en el hombro y diciendo:

—"Averigüen con precisión lo referente al niño y cuando lo encuentren, avísenme, para yo también vaya a adorarle".

Los magos se pusieron en camino y, apenas había cruzado la muralla, cuando de pronto en el horizonte apareció de nuevo la estrella y se llenaron de alegría. Esto resultó ser providencial, pues Belén no era lo que ellos esperaban, un ciudad grande y con un gran palacio fácil de identificar, sino era un simple villorrio, y la casa donde la estrella se detuvo no era diferente de las demás, no había damas de corte, ni pajes, ni todo eso que habían imaginado encontrar en la casa de un futuro rey. Sin dudar, entraron en la casa y vieron al niño con su madre y postrándose, le adoraron; abrieron luego sus cofres y le ofrecieron dones de oro, incienso y mirra.

Esta historia supuestamente ha dado origen a que, en algunas partes de América Latina, se llame "maje" al que se hace el tonto y busca tan sólo su propio interés. Nos recuerda que también hay cristianos que, a imitación de los príncipes "majes", creen o dicen creer, mientras les trae alguna ventaja el creer, pero cuando la fe les exige hacer maletas de generosidad y emprender el viaje duro y difícil que conduce a Cristo, se echan para atrás.

¿Reyes y príncipes que abandonan el confort de su palacio y caminan miles de millas; que cruzan valles y montañas soportando el sol del desierto, la sed y el cansancio, para llevar dones y regalos a un rey que no es el suyo? ¿Magos que hacen desaparecer sus posesiones y las hacen aparecer a las plantas de Jesús? ¿Hombres poderosos, gente sabia y culta que tienen todavía flexibilidad en las rodillas y le adoran? Esto es lo que ha hecho a muchos dudar de que estos reyes magos hayan existido, porque dudar es más fácil que imitarlos y emprender la aventura de la fe.

32
Los tres anillos

Saladino fue un hombre de gran valor que, luego de haber sido un campesino humilde, llegó a ser sultán de Babilonia. Y no sólo eso, sino que logró numerosas victorias sobre sarracenos y cristianos. Pero habiendo agotado el dinero de las arcas, a veces en guerras contra sus enemigos y otras en regalos a sus favorecidos, se vio en cierta ocasión en un grave aprieto y necesitaba una fuerte suma de dinero. Y, como no encontró quién se la proporcionara con la urgencia que la necesitaba, decidió acudir a un rico prestamista llamado Melquisedec. Aun así, dudando que aquel hombre le financiara toda la cantidad que quería, decidió ponerlo en un aprieto y obligarlo a que le auxiliara con el dinero mediante amenazas.

Saladino invitó a aquel prestamista y le dijo:

—"He oído a muchos hablar de tu sabiduría y de lo docto que eres en las cosas de Dios, tanto que me gustaría que me dijeras cuál de las tres religiones consideras como verdadera: la judía, la musulmana o la cristiana".

El judío, siendo en verdad muy inteligente, se dio cuenta de que el rey pretendía hacerle caer en una trampa. Si afirmaba que la religión musulmana era falsa y la judía era la verdadera, el rey podía condenarlo a muerte y quedarse con todas sus riquezas, esa era la ley del estado. En cambio si afirmaba que la religión musulmana era la verdadera, la judía, por tanto, era falsa y se convertiría en un apóstata entre los suyos. Pero como no podía rehusar respuesta dijo:

—"La pregunta que me haces es sumamente interesante, permíteme que te refiera una historia que puede ilustrar lo que pienso".

"Si no me equivoco, recuerdo haber oído contar que hace mucho tiempo vivía en Oriente un hombre muy rico y notable que, entre las más preciadas de sus joyas, poseía un anillo de un valor inestimable".

"La piedra era un ópalo en el que brillaban cien tonalidades bellísimas y tenía la secreta virtud de hacer agradable a Dios al que lo llevaba con confianza. No es, pues, de extrañar que aquél hombre llevara siempre el anillo, y que tomara medidas para conservarlo entre los suyos. Se lo dio en herencia a su hijo predilecto, y estableció que este a su vez se lo dejara al más querido de los suyos, y fuera siempre el más amado, sin tener en cuenta su nacimiento, el que, por la virtud del anillo, llegaba a ser el jefe, el príncipe de la familia.

Por fin, pasando de uno a otro, este anillo llegó a manos de un padre que tenía tres hijos. Los tres le testimoniaban la misma obediencia, y no podía menos que amarlos por igual. Los tres le parecían como el más digno del anillo -siempre el que se encontraba con él cuando los otros dos no participaban de la efusión de su corazón-, y tuvo la debilidad paternal de prometer sucesivamente el anillo a cada uno de sus hijos.

Siguieron así las cosas mientras vivió; pero pasaron los años, el padre se hacía cada vez más anciano, se acercaba inevitablemente la muerte y se encontró con un penoso conflicto: la idea de herir a dos de sus hijos que habían confiado en su palabra le hacía sufrir.

Envió secretamente a buscar un orfebre al que encargó dos anillos similares al suyo, sin escatimar ni trabajo ni dinero para que resultaran casi iguales. El artista lo consiguió. Cuando le llevó los anillos, el mismo padre no podía distinguir cuál era el que había servido de modelo. Lleno de alegría llamó a sus tres hijos separadamente, dio a cada uno en particular un anillo y su bendición, y murió. Apenas hubo muerto cuando se presentaron cada uno de los hijos con su anillo pretendiendo ser el jefe de a casa.

Se hicieron averiguaciones, hubo disputas, surgieron quejas. Tiempo perdido: imposible distinguir el anillo verdadero, casi tan imposible como nos es hoy día distinguir la verdad, de la opinión... Finalmente se dirigieron a la justicia. Cada uno juró ante el juez que había obtenido el anillo directamente de su padre (lo cual era cierto), después de haber recibido, mucho antes, la promesa de la posesión de los privilegios inherentes a él (cosa no menos cierta).

El padre, aseguró cada uno de ellos, no podía haberle engañado: antes de permitir que recayese tal sospecha sobre un padre tan querido y tan digno de serlo, prefería acusar de fraude a sus hermanos; a pesar de lo feliz que hubiera sido pensando de ellos sólo bien, sabría desenmascarar a los traidores y vengarse....

—"Si no traen pronto a su padre -dijo el juez-, los despido de mi tribunal". "¿Creen que estoy aquí para adivinar enigmas? ¿O esperan que el verdadero anillo tome la palabra?". "Escuchen pues: Dicen que ese anillo posee la virtud maravillosa de despertar el amor, de ser agradable a los ojos de Dios y de los demás. Que sea eso lo que decida, pues los falsos anillos no tendrán tal poder. Que cada uno de ustedes se esfuerce en demostrar los poderes de su anillo viviendo las virtudes que otorga".

Esta parábola contiene la elevada enseñanza de que cualquier religión que quiera probar ser la verdadera no lo puede hacer mediante el odio y la violencia hacia los demás, sino sólo con el testimonio de virtud de sus miembros: "Miren cómo se aman" esta es la mejor apologética. De esta manera el judío se libró de tener que condenar a la religión musulmana y poner en peligro su vida.

Este cuento, que en cierto sentido parece considerar a todas las religiones iguales, no lo hace en realidad, pues enseña que, a pesar de parecerse los anillos, uno sólo es el original, y aunque el judaísmo, el islamismo y el cristianismo son religiones hermanas, por la Escritura, sabemos que él único mediador entre Dios y los hombres es Jesucristo.

33

Un pecador se fue al cielo

En cierta ocasión murió un villano de esos pecadores ordinarios, que pecan más por ignorancia que por maldad. Y resultó que cuando falleció, ni en el cielo ni el infierno se enteraron de la noticia. ¿Cómo fue que esto sucedió? No tengo explicación alguna, lo único que sé es que por una cosa del azar, ni un ángel ni un demonio llegaron por él. Así que aquel pobre hombre, solitario y tembloroso, partió sin guía y como nadie podía decirle nada en contra, tomó la senda del paraíso. Sin embargo, no conocía bien el camino y tenía miedo de perderse, pero por fortuna, vio a lo lejos al Arcángel San Miguel que conducía a un elegido. Lo siguió a distancia, sin decir nada y caminó tan de prisa que llegó a las puertas del cielo casi al mismo tiempo que el Arcángel.

San Pedro escuchó que llamaban y abrió las puertas del cielo a San Miguel y al elegido que conducía, pero cuando vio al pecador que allí esperaba, le dijo:

—"¡Largo de aquí!", ¡Aquí no se entra sin acompañante y, además, no queremos villanos!".

—"¡Cómo que villano! Villano tú que negaste tres veces al

Señor, y te crees con derecho de echar a la gente de un sitio donde no deberías de estar, a personas que puede ser que tengan derecho a estar. ¡Qué manera de tratar a la gente! ¡Se ve que Dios se ha confiado demasiado al ponerte en este lugar!

San Pedro, que no estaba acostumbrado a oír semejantes sermones, no supo qué contestar y se metió dentro a buscar a alguien que le ayudara y encontró a santo Tomás y le contó la vergüenza que le había hecho pasar aquel hombre.

Tomás le dijo:

—"¡Déjame a mí el asunto que yo me encargo! ¡Nada más eso nos faltaba que un cualquiera viniera aquí a ofendernos, ahora mismo me deshago de él!".

Salió Tomás y habló con rudeza al villano, preguntándole cómo osaba presentarse en aquel lugar reservado para santos y confesores.

—"¿Dices eso en serio?", preguntó a su vez el villano. "Entonces, ¿qué haces tú ahí adentro? Tú no tuviste fe, no creíste en la resurrección de nuestro Señor, y eso que te lo anunciaban personas dignas de ser creídas. Y si no te hubiera mostrado el Señor sus llagas y las hubieras tocado, ahora mismo estarías en el infierno. Si tú que fuiste incrédulo estás aquí no entiendo por qué yo no podría estar aquí. He sido débil, lo reconozco, pero al menos no fui incrédulo como tú".

Tomás bajó la cabeza avergonzado y sin contestar nada fue a reunirse con San Pedro. En eso llegó san Pablo y les preguntó que de qué conversan tan alicaídos y ellos le dijeron:

—"De un insolente y majadero que está allá afuera y quiere a toda costa entrar al cielo".

—"No sabe hacer las cosas bien, déjenmelo a mí y verán cómo lo despido en un momento".

Salió san Pablo y, sin más, tomando del brazo al villano, quiso echarlo a la fuerza. Pero éste se resistió y le dijo:

—"¡Un momento! ¿Qué modales son esos? Ya se nota que tú fuiste perseguidor de cristianos y que hiciste gala de violencia y tiranía. Si te convertiste fue porque Dios te cegó con un rayo y te tumbó al suelo y, aún después de convertirte, eras medio revoltoso y te pusiste a regañar nada menos que al jefe de la Iglesia en medio de todos. ¡Déjame en paz y tráeme al que tiene autoridad, que aunque yo no soy San Esteban, ni ninguno de aquellos buenos cristianos que encarcelaste e hiciste torturar, te conozco bien!".

San Pablo quedó desconcertado como los otros dos santos y, cuando se reunieron, acordaron de ir a reclamarle directamente a Nuestro Señor. San Pedro, como jefe de los apóstoles, protestó diciendo que allá afuera había un villano majadero, y que sentía tanta vergüenza que, mientras ese hombre estuviera ahí, él no se atrevía a volver a su puesto.

Entonces el Señor mismo respondió:

—"Yo mismo iré a hablar con ese hombre".

Fue ahí, y le preguntó que cómo era que se había presentado sin ningún ángel que lo acompañara y que porqué había insultado a sus apóstoles.

—"Señor" contestó el villano devota y respetuosamente. "Tus apóstoles me han querido echar y yo he creído que tenía tanto derecho a entrar en el cielo como ellos, pues yo no he renegado de ti, ni he negado tu resurrección, ni he lapidado a nadie. Sé que nadie entra aquí sin juicio, pero yo prefiero apelar a tu misericordia. Yo nací en la miseria, he soportado mis penas sin quejarme y he trabajado toda la vida. Y aunque nunca fui a la escuela, algo aprendí de tu Evangelio y a pesar de mis muchos pecados de lo poco que ganaba lo compartía con quien estaba más necesitado que yo".

Nuestro Señor le dijo:

—"Por haber dicho eso te voy a dejar pasar". Y el villano entró al cielo.

En las historias y en los cuentos todos los que quieren entrar al cielo siempre suelen entrar a pesar de que no se lo merezcan, aunque esto parezca a algunos abusos de su misericordia. La verdad es que todos, en cierto sentido somos indignos del cielo. Por eso se dice que, al que hace todo lo que está de su parte, Dios no le niega su gracia. El villano no entró al cielo por ser villano, sino por haber confiado en la misericordia de Dios y haberla practicado con los más necesitados que él.

34

Una pastorela

Cuando se acerca la Navidad, es costumbre en nuestra tierra celebrar las pastorelas, donde se recuerdan las angustias y ansiedades de María y José en Belén, buscando dónde hospedarse para que el nacimiento de su hijo tuviera lugar. Aunque esta es una celebración muy común, hubo una de la que guardo un grato recuerdo porque sucedió algo extraordinario.

El lugar era el más acertado para la presentación de la obra. Se cerró la calle y los peregrinos podían ir tocando de puerta en puerta con todo realismo. Además, todo se veía muy hermoso ya cogedor con los adornos navideños colgados de uno a otro lado de la angosta calle.

Con meses de anticipación, entre los mismos vecinos ya estaban repartidos todos los papeles para la representación. Pero faltaba nada más el mesonero y alguien sugirió a Sebastián para ese papel. Sebastián, a quien todos llamaban cariñosamente "Sebas", era un muchachote que tenía Síndrome de Down. Se había ganado el cariño de todos pues siempre estaba alegre y se llevaba muy bien con todos los niños, a tal grado que las mamás siempre estaban tranquilas si sus hijos andaban con "Sebas" pues, por su corpulencia, lo respetaban todos y cuando alguien buscaba pleitos, él rápidamente los ponía en paz. Cuando se sugirió a "Sebas" para el papel de mesonero no todos estuvieron de acuerdo, aunque finalmente quedaron convencidos de que el papel no era muy difícil, pues sólo tenía que decir: "No hay lugar en el mesón". Además, con su estatura y un turbante luciría muy bien. Se acordó finalmente que él hiciera el papel.

El día de la Pastorela todo el barrio estaba adornado con faroles de papel de todos colores y serpentinas colgando de un lado a otro de la calle. Había venido más gente de lo esperado. Todo estaba saliendo muy bien: la Virgen era una chica dulce y morena; el San José con mucha barba y, el burro, ¡de verdad! Después de los cantos, los peregrinos tocaron al mesón y se abrió la parte de arriba de la puerta, pues la habían cortado a la mitad para darle más realismo a la escena. Entonces apareció Sebas con su turbante rojiblanco y dijo con aplomo lo que había memorizado durante casi un mes: "No hay lugar en el mesón". San José empezó a dar explicaciones:

—"Mire usted, es que venimos de muy lejos...".

—"No hay lugar en el mesón", interrumpió el mesonero en tono seco.

—"Tenga compasión buen hombre, que mi mujer va a dar a luz y está muy cansada...".

El mesonero parecía dudar un poco y con tono más o menos convincente repitió de nuevo:

—"No hay lugar en el mesón".

Entonces José y María muy compungidos dieron la media vuelta y, ya se retiraban para hacer un nuevo intento para pedir alojo con el vecino de enfrente, cuando a "Sebas" se le iluminó el rostro y alzando la voz interrumpió:

—"¡Esperen un momento señores!". "¡No se vayan...! No hay lugar en el mesón, pero pueden quedarse a pasar la noche en mi habitación".

Muchos soltaron la carcajada; a otros se les humedecieron los ojos. Los organizadores afirmaron que aquello había sido un desastre, pero la mayoría de los que presenciaron la escena afirmaban que aquella había sido la mejor Pastorela que habían visto.

Sea lo que fuere a unos y otros nos falta algo que "Sebas" captó mejor que nadie: nos hace falta tomar en serio la Navidad, tomar en serio el amor de Jesús que se hace como nosotros para salvarnos, sin fingimientos ni teatro.

35

El árbol de la vida

¡Protesto! ¿Cómo está eso de que muchos han escuchado la historia del árbol del bien y del mal, en el que se enroscó la serpiente trepadora para tentar a nuestros primeros padres y, por el contrario, esos mismos ignoran la historia del *árbol de la vida*, mucho más edificante?

En efecto, la Biblia nos dice que en medio de jardín del Edén había no uno, sino dos árboles: el árbol de la vida y el árbol del bien y del mal. He aquí el relato de este maravilloso árbol de la vida.

Cuenta una antigua leyenda de Ugarit que, la astuta serpiente del paraíso, durante mucho tiempo estuvo tratando de idear alguna argucia para tentar a la primer pareja humana, pero no sabía qué ofrecerles, pues Adán y Eva lo tenían todo y no pasaban necesidades. Así pasó el tiempo hasta que, un día, descubrió en el centro del Paraíso un árbol de frutos maravillosos, hermosos a la vista y apetecibles al paladar, era el árbol de la vida. Sus frutos tersos y dorados, que sabían entre mango, durazno y ciruela, tenían una sensación tan exquisita que a cualquiera se le iba a antojar pero, además, el comer de su fruto otorgaba el poder divino de la inmortalidad. Tener vida eterna sin necesidad de Dios, hacer inútil a Dios. ¡Era una tentación estupenda! Fue por eso que la astuta serpiente decidió encaramarse a ese árbol para tentar a Eva, y trepando sigilosamente, se enroscó fuertemente a una de sus ramas. El árbol de la vida, intuyendo las malas intenciones de la serpiente, no estaba dispuesto a colaborar con aquella maldad; luchaba por deshacerse de la serpiente pero, por más que se doblaba y sacudía, la serpiente, tercamente adherida a sus ramas con sus constrictores anillos, no se desprendía.

El árbol no sabía qué hacer. No pasaría mucho tiempo sin que Adán o Eva cruzaran por ahí. Entonces, y como último recurso, decidió sacrificar sus hermosos frutos.

La serpiente vio entonces cómo aquellos frutos dorados, de repente, como lluvia de luminosas esferas cayeron y rodaron por el suelo. La serpiente se llenó de ira al ver frustrado su intento, no le quedó más alternativa que bajarse de su sitio, pues ya no había fruto con qué tentar a Eva y se marchó a buscar el ya bien conocido árbol de manzanas.

La Biblia nos cuenta lo que pasó después con Adán, Eva y el árbol del bien y del mal, pero guarda un devoto silencio sobre lo que sucedió más tarde con el árbol de la vida. Resulta que Dios lo premió por haberse desprendido de sus hermosos frutos que concedían la inmortalidad, y le concedió la virtud de que, ni aún el más duro invierno le haría perder su imperecedero verdor, símbolo de la inmortalidad.

La leyenda añade que Adán, antes de ser expulsado del Jardín del Edén, cortó un esqueje de aquel árbol y lo plantó al Este del Paraíso donde vivió y, en ese lugar, creció una pequeña arboleda. Con los árboles más grandes y macizos de ese mismo lugar, Noé construyó el arca y, más tarde, Moisés hizo tanto su bastón como la vara sobre la cual levantó la serpiente y, finalmente, con madera de ese mismo árbol, que los romanos habían traído de Líbano, se labró la cruz donde Jesús fue clavado. Por tanto, el árbol de la vida, representa la cruz que nos ofrece el fruto de la inmortalidad, que es Cristo mismo con su costado abierto, del cual brotó sangre y agua: la sangre de la Eucaristía y el agua del bautismo. Los que se bañan en esa agua y comen de ese manjar obtienen la inmortalidad.

El árbol de la vida representa también al mismo Cristo que nos da a comer el verdadero fruto de la inmortalidad, que es su propia carne, por eso él se llamó así mismo el leño verde. (Lucas 23:31).

En la Edad Media, especialmente en los países fríos donde resalta el pino por su perenne verdor, los cristianos lo escogieron para festejar la Navidad y le suelen adornar con velas, que significan la luz de Cristo; una estrella, que representa el anuncio de Salvador y las esferitas, que recuerdan los frutos dorados que aquel árbol dejó caer para no colaborar con la serpiente.

Conocer el origen de los símbolos cristianos es interesante, pero más útil es entender lo que el "Varón de Dolores" nos quiso decir con aquella adivinanza: "Si esto se hace en el leño verde, en el seco, ¿qué se hará?". Del que sepas descifrar esta adivinanza de Jesús puede depender tu salvación. La pista está en Juan 15:6.

36
Los dos hermanos

Dos hermanos viajaban juntos, y un día que andaban de cacería se sentaron en medio del bosque para descansar. Cuando despertaron vieron que un rayo de luz penetraba por la foresta y golpeaba una piedra parecida a una lápida que contenía una inscripción. A pesar de que no era legible, impulsados por la curiosidad y con empeño lograron descifrarla y esto fue lo que leyeron:

Cualquiera que encuentra esta piedra camine por el bosque hacia el Oriente; en su camino hallará un río; que lo atraviese; en la otra ribera verá una osa con sus oseznos; que coja a los oseznos y escape a la montaña sin volverse. Allí verá una casa, entre a ella y encontrará la dicha.

Entonces dijo entusiasmado el hermano menor al mayor:

—"Vamos juntos; quizás podamos atravesar el río, coger los oseznos, escapar de la osa, llevarlos a aquella casa y encontrar ambos la dicha".

Pero el mayor replicó:

—"Ni creas que iré en busca de los osos, y no te consejo

que lo hagas. En primer lugar, no hay ninguna prueba de la veracidad de esta inscripción, acaso sea una broma; en segundo término, es posible que lo que hemos descifrado sea incorrecto. En tercer lugar, aun suponiendo que sea verdad, tendremos que pasar la noche en el bosque y qué tal si no encontramos el río y nos extraviamos. Y aunque lo encontremos, ¿podremos cruzarlo? Quizás sea muy ancho y su corriente rápida. Pero, aún en el caso que lo logremos ¿crees que será cosa fácil apoderarse de los oseznos? No nos será fácil escapar y correr sin descanso hasta la montaña. Por último, la inscripción no especifica qué tipo de felicidad encontraremos en ese lugar, quizá sea una felicidad que no valga tantos riesgos y sacrificios".

El hermano menor respondió:

—"No soy de tu opinión; nadie sin objeto escribió esto en este paraje remoto. El sentido de la inscripción es claro y preciso. Desde luego no hay que correr tan gran peligro, pero no estoy dispuesto a echarme para atrás ante algo que ni siquiera he intentado. Si nosotros no lo hacemos otro más osado lo hará, encontrara la felicidad y nosotros nos arrepentiremos de no haberlo intentado. Por otro lado nada se consigue en esta vida sin esfuerzo".

A lo que dijo el hermano mayor:

—"Recuerda el proverbio: "La codicia rompe el saco".

—"Y tú", replicó el hermano, recuerda este otro: "El que no arriesga no gana".

Marchó pues el menor, y el otro se quedó.

Un poco más lejos, en el bosque, el menor encontró el río. En verdad la corriente era fuerte y se formaban remolinos traicioneros pero caminó un poco hasta un lugar donde la corriente se suavizaba y con osadía lo atravesó, y junto a la orilla vio a una osa que dormía; cogió los oseznos y, sin volver la cabeza, echó a correr hacia la montaña.

En cuanto llegó a la cima, una multitud de gente, salió a su encuentro y lo transportó a la ciudad, donde se le nombró rey. Al verlo cargar los dos oseznos, la multitud interpretó eso como un presagio de su dignidad real.

Reinó cinco años; al sexto, otro soberano más fuerte que él le declaró la guerra, se apoderó de la ciudad y tuvo que huir. Entonces, el hermano menor erró de nuevo y volvió a la casa del mayor, que vivía pacíficamente en el campo. Ni rico ni pobre.

Ambos hermanos sintieron mucho gusto de encontrarse de nuevo y se contaron su vida.

—Bien ves -díjole el mayor-, que yo estaba en lo cierto. He vivido sin sobresaltos, y tú, que fuiste rey, piensa cuan atormentada fue tu vida.

Respondió el menor:

—"No deploro mi aventura del bosque; cierto que ahora ya no soy nada; pero tengo, para embellecer mi vejez, el corazón lleno de gratos recuerdos, mientras que tú no los tienes".

De éste relato de León Tolstoi es difícil sacar una única enseñanza, a algunos les parecerá más prudente y correcta la actitud del hermano mayor. A otros les entusiasmará la audacia del hermano menor. Lo importante es que vivas tu vida con un proyecto, con un propósito claro; que de los pasos que te llevan a él y que perseveres hasta el final y no dejes que se te vaya la vida como arena entre los dedos, porque la vida es una y se vive una sola vez.

37

El león cordero

El relato que nos ocupa en esta ocasión se desenvuelve en el corazón del continente africano. Una blanca cigüeña volaba en sereno el cielo azul. En su recio pico llevaba colgado un pañal anudado con los bebés recién nacidos, mientras las mamás, allá abajo -en la selva esmeralda-, esperaban al deseado mensajero.

La cigüeña iba dejando una jirafita aquí, un elefantito allá, ¡fiuuu!, y al final de su fatigoso recorrido le quedaba por entregar varios corderos y un rubio leoncito.

Cuando descendió junto al rebaño que la esperaba con ansias, abrió el pañal y empezó a entregar los corderitos a las mamás respectivas. Pero, mientras estaba distraída, el leoncito escapó del pañal y se fue con una mamá cordero, creyendo que era su madre.

Mamá cordero se encariño al instante con el pequeñuelo de pelo rubio, ojos color canario y naricita húmeda.

La cigüeña, al darse cuenta de lo que pasaba, fue a buscar al leoncito, y estaba a punto de poner la mano sobre el pequeño felino cuando mamá cordero, con toda furia se lanzó con la cabeza baja y los cuernos anillados por delante. Le dio tan tremendo golpe al alado mensajero que volaron las plumas como alboroto de gallinero con zorra.

La cigüeña, no dada a pleitos ni contiendas, prefirió dejarlo por la paz diciendo: "Yo ya entregué, ya cumplí", y emprendió torpemente el vuelo y Lamberto, el león cordero, se quedó en el rebaño.

Pasó el tiempo. Los corderitos crecieron y Lamberto también se desarrolló; les ganaba a todos en peso, volumen y estatura. Sin embargo no era feliz.

Cuando sus amigos le invitaban a jugar, él decía a su mamá: "Mamá, ¿me dejas ir a jugar con mis amigos?". Y por supuesto su mamá le decía ¡veeee!, porque hay que entender que las mamás corderos siempre han tenido la fama de ser las más complacientes de las madres. Pero resulta que, cuando Lamberto llegaba a jugar topes con sus compañeros, como él no tenía cuernos, todos le ganaban y los más abusivos lo agarraban de pelota. Ni siquiera sabía saltar una cerca y cuando quería berrear como todos los demás, de su enorme boca salía un tímido y ridículo maullido que producía risas y burlas en sus amigos, quienes lo llamaban ofensivamente "Lamber-ton-tón". Así, con frecuencia acontecía que los juegos siempre terminaban para él en llanto y corriendo a refugiarse con su madre.

Como ustedes comprenderán la vida de Lamberto era triste y amarga, y fue creciendo con muchos complejos, sintiéndose torpe, cobarde y tonto.

Sucedió que en aquella región donde acababan los verdes prados y se levantaba imponente y oscura la selva, había un feroz lobo gris que asolaba la región. Eran pocos los que lo habían visto y habían salido con vida para contarlo. Pero decían que cuando aparecía entre la negra espesura del bosque, sus ojos parecían ascuas del infierno y en sus fauces babeando espuma blanca, relampagueaban como alfanje de beduino, sus grandes y filosos colmillos.

Una tarde, cuando todo alrededor había perdido su color, el temible lobo gris salió de la tupida selva y se acercó amenazante al rebaño. Todos los corderos al ver al lobo huyeron al instante, pero Lamberto no supo qué hacer y de un salto se trepó al primer árbol que encontró. La madre cordero al ver a su hijo en peligro se quedó para defenderlo y el lobo entonces se abalanzó sobre la indefensa víctima, y se la llevaba arrastrando mientras Lamberto encaramado en el árbol temblaba de pavor.

Su mamá empezó a gritar:

—"¡Lamberto ayúdame!, ¡Lambeeeerto ayúdame!".

Lamberto, al oír la voz desesperada de su madre empezó sentir un extraño calor en su pecho y de repente le salió lo fiera; lanzó un rugido que resonó en la selva entera, pegó un brinco y se arrojó sobre el perverso lobo, y de un zarpazo lo arrojó al abismo.

Todos los corderos, admirados de su valor, corrieron a felicitarlo, porque los había salvado y desde entonces se convirtió en el rey de la manada y nunca más se atrevió a aparecer lobo alguno por aquellos prados.

Se dice que los cristianos ya rebasamos los mil millones en el mundo, pero ¿dónde están? El problema del cristianismo actual no es la persecución

abierta de los enemigos, sino intención de algunos de asimilarlo y diluirlo con los criterios del mundo, el buscar hacerlo popular y aplaudible por todos. Tenemos que acabar con el borreguismo institucionalizado y evitar adoptar, sin juicio crítico, sin cotejar con el evangelio, actitudes y pensamientos en boga que en realidad son anticristianos. Porque eso nos lleva a vivir como leones acomplejados, incapaces de romper filas de esa masa que nos hace esclavos de lo ordinario y nos lleva a arrestar una vida vulgar, sin originalidad ni trascendencia.

Un Papa, que fue un gran león, León Magno, decía: "Cristiano, reconoce tu dignidad". Y lo que decía Juan Pablo II a los jóvenes: "Cambiaréis el mundo si sabéis ser lo que sois", es decir cristianos. Tú, deja ya el borreguismo. Sé original. Sé tú mismo. Sé lo que eres, que salga la fiera.

39

La isla de los sentimientos

Érase una vez una isla donde habitaban todos los sentimientos: la alegría, la tristeza y muchos más, incluyendo el amor.

Un día les fue avisado a sus moradores que la isla se iba a hundir, por lo que todos los sentimientos se apresuraron a abandonarla. Abordaron sus barcos y se prepararon a partir apresuradamente. Sólo el AMOR permaneció en ella; quería estar un rato más en la isla que tanto amaba, antes de que desapareciera. Al fin, con el agua al cuello y casi ahogado, el AMOR comenzó a pedir ayuda.

Se acercó la RIQUEZA que pasaba en un lujoso yate y el AMOR le dijo:

—"¡RIQUEZA llévame contigo!".

La RIQUEZA contestó:

—"No puedo, hay mucho oro y plata en mi barco, no tengo espacio para ti".

El AMOR le pidió ayuda a la VANIDAD, que también venía pasando:

—"VANIDAD por favor ayúdame".

Y ésta le respondió:

—"¡Imposible AMOR! me gustaría ayudarte, pero estás mojado y arruinarías mi barco nuevo".

Pasó la SOBERBIA, que al pedido de ayuda, le gritó:

—"¡Quítate de mi camino o te paso por encima!". Como pudo, el AMOR se acercó al yate del ORGULLO y, una vez más, imploró ayuda. Por respuesta obtuvo un frío silencio, una mirada despectiva y, por poco, una ola producida por el mismo ORGULLO que hizo al virar la nave, casi lo asfixia.

Entonces, el AMOR pidió ayuda a la TRISTEZA:

—"¿Me dejas ir contigo?".

La TRISTEZA le dijo:

—"¡Ay AMOR!, tú sabes que siempre ando sola y prefiero seguir así".

Pasó la ALEGRÍA y estaba tan contenta aturdida con la música y el baile que ni siquiera oyó al AMOR llamarla.

El PESIMISMO pensó que no habría lugar para ambos dentro de su barco y que, además, seguramente, de subir al AMOR, se hundirían los dos antes de llegar a tierra firme.

El OPTIMISMO contempló al AMOR desde la borda y, con miles de argumentos trató de persuadirlo de que no se desanimara; con seguridad alguien más vendría a rescatarlo. Era sólo cuestión de seguir esperando y con una sonrisa se despidió dejando al AMOR aún más angustiado.

Desesperado, el AMOR comenzó a suspirar, con lágrimas en los ojos. Fue entonces cuando una voz le dijo:

—"Ven, AMOR, yo te llevo".

El AMOR miraba a todas partes tratando de encontrar de dónde venía esa voz, sin distinguir a nadie a su alrededor. ¿Sería una alucinación? En ese momento oyó que le decían:

—"Aquí abajo, junto a ti".

Entonces el AMOR vio una especie de tablón flotando suavemente sobre el azul del mar que se acercaba a él. Extrañado le preguntó:

—"Y tú ¿quién eres?".

—"Yo soy la CRUZ".

—"¡La CRUZ!", exclamó el AMOR santiguándose como si se tratara de un fantasma. "¡No! Yo, a la cruz no me agarro, el AMOR no se lleva con la cruz, el amor es alegría, es placer, es felicidad.

—"No tengas miedo" le dijo la CRUZ. "Ya vez que todos tus amigos te han abandonado, en cambio esa que temes y desprecias ha venido a salvarte. Abrázate a mí con confianza y te llevaré a la isla de la SABIDURÍA y ahí ella misma te explicará todo".

No teniendo otra opción y persuadido más por el deseo de salvarse que por otra cosa, el AMOR se abrazó fuertemente a la CRUZ y en poco tiempo llegaron a la isla de la SABIDURÍA.

Cuando estuvo frente a la SABIDURÍA, el AMOR le preguntó: "¿cómo es que la cruz, que yo consideraba como mi enemiga, signo de maldición, es la única que ha acudido en mi ayuda?".

La SABIDURÍA respondió:

—"La CRUZ fue un símbolo de maldición durante mucho tiempo, en ella morían los hombres desesperados; maldiciendo al mundo, maldiciendo la vida, maldiciéndose a sí mismos y maldiciendo a Dios. Pero hubo un hombre que se llamaba JESÚS y él, por amor a Dios y a los seres humanos, se abrazó a la cruz y bañó el madero con su sangre y así por el poder de su sangre, convirtió a la CRUZ en el símbolo del amor más grande".

El AMOR que se abraza a la CRUZ es el único que vence a la muerte. Amar es entregarse y no hay entrega auténtica sin donación total. En la cruz se nos revela el amor verdadero, el amor auténtico, el amor incondicional, con los brazos siempre abiertos. "Tanto amó Dios al mundo que entregó a su Hijo único, para que quien crea en él no muera, sino tenga vida eterna" (Juan 3:16). Pero, ¿cómo lo entregó? ¿Dónde lo entregó? ¿No fue en la cruz? Por tanto, la cruz nos revela el amor infinito de Dios y el poder de Cristo para transformar las lágrimas en alegría, la tristeza en gozo, la muerte en vida y la cruz en victoria.

40

El sueño de Nabucodonosor

Hace mucho tiempo, en el siglo VI a.C. el rey Nabucodonosor había vencido en una de las más imponentes batallas de la antigüedad al faraón egipcio Necao; tres años más tarde cayó también Judea y fueron deportados a Babilonia muchos nobles y sabios judíos, entre ellos Daniel del cual se ocupa esta historia.

En el año segundo de su reinado, Nabucodonosor tuvo un sueño y su espíritu se turbó tanto que no pudo ya dormir. El rey entonces pegó un grito y se presentó inmediatamente uno de sus servidores y el rey le ordenó:

—"Manda inmediatamente llamar a todos los magos adivinos y encantadores del Reino, he tenido un terrible sueño y es mi deseo que se me manifieste su significado".

No había pasado una hora, cuando ya estaban reunidos en el gran palacio más de doscientos personajes caldeos, magos, encantadores, astrólogos y adivinos. Aquella fue una de las ceremonias menos oficiales que haya habido en la historia de los reinos. El rey estaba en bata, sentado en su trono con la cara de asombro y el cabello enmarañado. Muchos de los magos y adivinos habían llegado vestidos en pijamas, con sus gorros de dormir aun en la cabeza, algunos otros estaban ahí frotándose los ojos creyendo que todo era un sueño.

Entonces el rey, con tono nervioso, dijo:

—"He tenido un sueño y mi espíritu se ha turbado por la inquietud de comprender el sueño, necesito que me ayuden a interpretarlo".

Al oír aquello, los magos, encantadores y adivinos se frotaron las manos, sonriendo y codeándose unos a otros festejaban ya aquella oportunidad de hacerse ricos. Porque es necesario recordar, que Babilonia en aquel tiempo era un país donde abundaban los brujos y adivinos y como había más oferta que demanda, muchos sobrevivían con dificultad. La mayoría de sus clientes eran labriegos y campesinos que habían tenido una mala cosecha; vagabundos que atribuían todas sus desgracias al mal de ojo o mujeres enfermas de amores y cosas por el estilo. La verdad era que pagaban mal y apenas les alcazaba para el sustento. El rey en cambio -estaban persuadidos-, pagaría muy bien. Así que, todos a coro, gritaron:

—"¡Viva el rey eternamente! Cuente el rey su sueño a sus siervos y nosotros le daremos la interpretación".

Para todos era lógico que el rey tenía primero que contarles el sueño. Pero el rey advirtió con tono severo a los astrólogos:

—"Tengan presente mi decisión: Primero me tienen que adivinar lo que soñé. Si no me dan a conocer el sueño y su interpretación, serán cortados en pedazos y sus casas serán reducidas a escombros; pero si me dan a conocer el sueño y su interpretación, recibirán de mí regalos y grandes honores. Por tanto, primero denme a conocer el sueño y después su interpretación".

El asunto se estaba poniendo serio pues los magos caldeos no contaban con la primera cláusula del contrato: en otros tiempos la amenaza de ser cortados en pedazos les hubiera hecho reír. Pero ellos conocían a Nabucodonosor y sabían que el rey no estaba bromeando y, en no pocas ocasiones había aplicado ese castigo a aquéllos que habían caído en desgracia y arrojado sus carnes, en trocitos, a los perros.

Sin embargo se sentían seguros en el ministerio y dijeron por segunda vez:

—"Cuéntenos su majestad el sueño a sus siervos y nosotros le daremos la interpretación que desea".

Pero el rey no era tonto. Sabía de tretas, trucos y tranzas, así que les replicó:

—"Bien veo que lo que ustedes quieren ganar es tiempo, sabiendo que mi decisión está tomada. Si no dan a conocer el sueño, todos recibirán la misma condena. Se han puesto de acuerdo para decirme palabras mentirosas y patrañas, mientras pasa el tiempo. Por tanto, cuéntenme primero el sueño y así sabré que su interpretación será correcta".

Los magos, adivinos y encantadores se pusieron a temblar pero a la vez indignados protestaron:

—"No hay nadie en el mundo capaz de descubrir lo que el rey quiere y por eso ningún rey, por grande y poderoso que sea, pregunta cosa semejante a ningún mago o adivino. Lo que el rey pide, sólo los dioses se lo podrían descubrir. Nosotros no somos dioses para adivinar cosas semejantes".

El rey entonces montó en cólera y mandó descuartizar a todos los sabios, magos y adivinos de Babilonia. Los esbirros del rey pusieron sogas al cuello de todos y los condujeron en triste peregrinación al lugar del castigo.

El llanto de los magos y el clamor de sus familiares que, al enterarse del suceso salieron a condolerse de la tragedia, despertó a gran parte de la población y también Daniel salió a la calle a preguntar de qué se trataba todo aquello y a qué se debía aquel terrible lamento. Cuando explicaron a Daniel la situación y le advirtieron que él también estaba incluido en la lista, fue inmediatamente a presentarse a Aryok, jefe de la guardia real y le dijo:

—"No mates a los sabios de Babilonia. Llévame a la presencia rey y yo declararé al rey la interpretación".

Aryok se apresuró a introducir a Daniel, lo llevó al palacio y, cuando llegó a su presencia, el rey le preguntó:

—"¿Eres tú capaz de darme a conocer el sueño y su interpretación?".

Daniel tomó la palabra y dijo:

—"El misterio que el rey quiere saber, no hay sabio, adivino, mago, ni astrólogo que se lo pueda revelar; pero hay un Dios en el cielo que revela los misterios y que ha dado a conocer al rey Nabucodonosor lo que sucederá al fin de los tiempos...".

Después de hacer oración y pedirle a Yavé que le iluminara, el profeta Daniel dijo:

—"¡Tú, oh Rey!, has tenido esta visión: una estatua, una enorme estatua se levantaba imponente ante ti. La estatua de extraordinario brillo y aspecto terrible tenía la cabeza de oro puro, el pecho y los brazos de plata, el vientre y los lomos de bronce, las piernas de hierro, y los pies parte de hierro y parte de barro. Mientras estabas mirando, una piedra se desprendió sin intervención de mano alguna, golpeó los pies de hierro y barro de la estatua y los hizo pedazos. Entonces todo a la vez se hizo polvo: el hierro, el barro y el bronce, la plata y el oro; quedaron como la paja de la era en el verano, que el viento se lleva sin dejar rastro. Pero la piedra que había golpeado la estatua se convirtió en una gran montaña que llenó toda la tierra".

"Este era el sueño; y ahora expondremos al rey su interpretación":

—"Tú, majestad, rey de reyes, quien el Dios del cielo ha dado soberanía, fuerza, poder y gloria, te ha sometido los hijos de los hombres, las bestias del campo y las aves del cielo, donde quiera que habiten, y te ha hecho soberano de ellos, tú oh rey, eres la cabeza de oro. Después de ti surgirá otro reino inferior a ti, y luego un tercer reino de bronce que dominará toda la tierra. Luego vendrá un cuarto reino, duro como el hierro, como el hierro que todo lo tritura y machaca; como el hierro que aplasta, así él triturará y aplastará a todos los demás... en tiempo de esos reyes, el Dios del cielo hará surgir un reino que jamás será destruido, ni cederá su soberanía a otro pueblo. Pulverizará y aniquilará a todos estos reinos, y él subsistirá para siempre... El gran Dios ha revelado al rey lo que sucederá en el futuro. El sueño es verídico y su interpretación es fiel.

Independientemente de si este relato bíblico sea o no un hecho histórico, sigue siendo palabra de Dios, la profecía es verídica, la interpretación correcta y nosotros somos testigos, pues esta roca, es el mismo Cristo, que estableció su reino visible y universal y su reino, como una enorme montaña, abarca toda la tierra. La profecía es verídica, su interpretación es fiel. Pero aquí hay otra enseñanza para nuestra vida, y es que, los ricos y poderosos, como los reyes en tiempos de Daniel, tienden a atribuirse a sí mismos sus triunfos, hazañas y riquezas. Esta profecía enseña que la historia no es un caos de carambolas,

sino que Jesús es el Señor de la historia y Dios el que tumba y levanta, el que da la vida, la riqueza y el poder y, por tanto, a él todos le debemos gratitud, honor y gloria. (Lee Daniel 4).

41

El emperador y el borracho

Calígula, de ser un ínfimo soldado, llegó a ser Emperador de Roma y quería tanto a su caballo Incitato, pues éste le había ayudado a ganar muchísimas batallas, que lo nombró cónsul. Según se nos cuenta en *La vida de los Césares*, Calígula había regalado a su brioso corcel: "mantos de púrpura, un collar de perlas preciosas, una casa, esclavos... una cuadra de mármol y un pesebre de marfil. Para que el caballo del César durmiera en paz ahí estaban los soldados, y para velar su sueño se imponía silencio en todo el barrio". También había hecho publicar un decreto que amenazaba con cortar en pedazos y dárselo de comida a los perros, a quien le anunciara la muerte de su querido animal y en aquellos tiempos, esta amenaza era bastante creíble. El caso es que el cuadrúpedo murió, más aún, ya tenía varios días de muerto en el establo y apestaba, pero nadie se atrevía a darle la triste noticia al emperador pues todos estaban enterados de aquel terrible decreto.

El caballerango sabía que no pasaría mucho tiempo sin que el rey se enterara y decidió hacer algo para evitar las consecuencias.

Cerca de la caballeriza del rey vivía un labriego que era muy dado a la bebida y el caballerango le prometió que le daría veinticinco monedas de plata si le llevaba al rey la fatídica noticia.

Como el labriego era borracho, pero no tonto, estaba enterado del decreto del rey y le dijo:

—"¡Déjame pensarlo y te responderé mañana!".

Se presentó al día siguiente y le dijo:

—"Ya lo he pensado, lo haré, pero en vez de 25 monedas quiero treinta y además, la mitad por adelantado. Si me das eso, entonces yo me jugaré la vida por ti y le llevaré la desagradable noticia al emperador".

Con tal de salvar su pellejo, el caballerango accedió a pagarle por adelantado aquella suma. Ya se podrán imaginar lo que hizo el borracho aquella noche y el estado deplorable en que se presentó al día siguiente. Después de unas cubetas de unos baldes de agua fría vistieron al borrachín con algo más presentable para la ocasión. Seguros de que aquel ropaje sería su misma mortaja, los siervos lo llevaron a la puerta de l palacio y esperaron afuera el resultado.

El borrachito entró más seguro que nunca ante el emperador y, al ver a aquel hombre desvencijado, con aire de enfado, le preguntó:

—"¿Quién eres tú y que te trae a mi presencia?".

—"Majestad" -respondió-. "No es importante saber quién soy, lo importante es que le traigo una muy desagradable noticia".

—"¿De qué se trata y qué tan desagradable puede ser comparado con los muchos problemas que implica el gobierno de este pueblo?".

—"Pues nada más que su caballo está tirado y le están

rondando las moscas".

—"¿Qué dices desgraciado?".

Sin inmutarse, el borrachito respondió:

—"Que su caballo está tirado y le están rondando las moscas".

—"¿Me quieres decir, desgraciado, que mi caballo ha muerto?", preguntó con ira el rey.

Con una sonrisa, el borrachito le respondió:

—"Usted lo dijo. No yo".

El emperador, admirado por la astucia del labriego, no sólo no le dio castigo alguno, sino que también le dio unas monedas.

Es cierto que un borracho no puede ser modelo de virtud para nadie, pero éste individuo hizo algo que a muchos se les olvida y es que, antes de tomar decisiones o firmar contratos, nos debemos dar tiempo para pensar y discurrir. Muchos de nuestros problemas se agravan o nos parecen insuperables porque no nos damos tiempo para sopesar todos los pros y los contras de una situación difícil. Vivimos en una sociedad que nos educa a decidir por impulsos, y así acostumbramos tomar decisiones equivocadas en momentos de angustia, cuando no estamos en las mejores condiciones para tomar una decisión. Si en vez de actuar precipitadamente, nos diéramos tiempo para reflexionar y ponderar las situaciones como le hizo este hombre, con frecuencia encontraríamos una salida airosa e incluso, sacaríamos ventaja de la dificultad.

42

El niño sabio

Había una vez tres amigos que después de haber hecho un gran negocio se marcharon a un país extranjero. Llegaron a una ciudad y entraron en una posada de una viuda a la que le ayudaba un niño en el servicio; queriendo bañarse, le dijeron a la mujer:

—"Prepáranos un baño con lo necesario".

Y ella lo preparó todo, pero se le olvidó el peine.

A continuación, los hombres le confiaron su dinero, advirtiéndole que no lo entregara a ninguno por separado, sino únicamente a los tres reunidos. La dueña de la posada prometió cumplir sus instrucciones y puso el dinero bajo candado, mientras que ellos se fueron a bañar.

Cuando se dieron cuenta de que entre los objetos faltaba el peine, decidieron que fuera uno de ellos a pedírselo a la mujer.

El individuo se dirigió a ella y le dijo:

—"Mis compañeros me encargaron que te pida el dinero".

Pero ella contestó:

—"No se lo puedo entregar a menos de que estén todos reunidos. Esa fue la condición que ustedes mismos me pusieron".

Pero el señor insistía:

—"Lo ordenan mis amigos, se lo voy a probar. Le pido que por favor me acompañe al cuarto".

Entonces la mujer le acompañó, subió las escaleras y se detuvo en la puerta. El amigo entró con sus compañeros y les dijo en voz alta:

—"Ahí fuera, a la puerta, está la viuda y no me lo quiere dar".

Ellos exclamaron molestos:

—"¡Señora, déselo por favor! ¡Lo necesitamos!".

Ella fue a buscar el dinero, y se lo dio. El amigo tomó el dinero, salió por la puerta de atrás y se escapó. Sus compañeros esperaron la vuelta en vano.

La mujer fue junto a ellos y les dijo:

—"Vino su amigo y le di el dinero, porque ustedes me ordenaron dárselo".

Pero ellos contestaron:

—"Nos referíamos solamente a que le dieras el peine".

Entonces aquellos hombres, sintiéndose defraudados, cogieron a la viuda y la condujeron ante el juez. Éste le ordenó a la mujer que les entregara el dinero, pero ella alegaba:

—"Ya lo he entregado".

Los otros empezaron a decir:

—"Entienda señor juez que nosotros éramos tres compañeros; le habíamos encargado que no entregara el dinero, a no ser que fuéramos a pedírselo los tres juntos".

El juez mandó a la viuda que presentara el dinero o de otra manera ella tendría que ir a la cárcel.

La mujer salió de la corte, presa del llanto y la aflicción.

Mientras las lágrimas corrían por su rostro, se encontró

con el niño que le ayudaba en el servicio de la posada, quien no tenía más de 12 años, y éste le preguntó:

—"¿Por qué llora, señora?".

Dijo ella:

—"Déjame con mi pena".

Pero el niño no la dejó tranquila hasta que supo la causa; entonces preguntó:

—"¿Si le ayudo, me dará algunas monedas para comprar chocolates?".

—"Si me ayudas —contestó ella—, te daré eso y más".

—"Pues vuelva frente al juez y háblele así: 'Sepa, su señoría, que los tres me han confiado el dinero y que no me desprendiera de él a menos que se presentaran todos juntos a reclamarlo; dígales a esos individuos que vayan a buscar a su camarada y cuando vengan los tres, entonces se los daré".

A la viuda le admiró la sabiduría de aquel niño y se sorprendió de cómo fue que no se le había ocurrido eso mismo antes a ella. Así que, decidida, volvió a presentarse al juez y le habló según las instrucciones del niño.

El juez se dirigió entonces a aquéllos hombres y les dijo:

—"¿Es como esa mujer pretende?".

—"Sí, dijeron ellos".

Y el juez sentenció:

—"Vayan, pues, y busquen a su amigo, y sólo entonces recibirán el dinero".

Por supuesto que aquellos amigos nunca pudieron encontrar al ladrón. Pero el juez, dándose cuenta de que alguien había aconsejado a aquella mujer, le preguntó:

—"Francamente, dime, ¿quién te ha aconsejado".

—El niño que trabaja conmigo en la posada.

Entonces el juez mandó llamar al niño y le preguntó:
—"¿Eres tú quien enseñó a esta mujer lo que debía hacer?
—!Sí, señor! —fue su respuesta—.
Entonces, el juez se ofreció adoptarlo y enviarlo a la mejor escuela para que un día llegara a ser abogado, pero el niño prefirió quedarse a ayudar a la viuda en la posada y ésta, algunos años más tarde, siendo el niño aun muy joven, le puso el manejo de la posada en sus manos.

Siempre hay salida para todas las dificultades, aunque muchas veces no la veamos. Por tal motivo, siempre conviene que pidamos un consejo a quien ve las cosas y situaciones desde una perspectiva más fría que la nuestra.

Créditos

No todos los relatos contenidos en esta obra son creación original de su autor. Algunos de ellos tienen su origen en relatos escritos por otras personas. En estos casos, el autor tomó la idea original y le infundió su propio estilo. Por tal motivo, el mismo autor desea reconocer y acreditar ante sus lectores sus diversas fuentes de lectura y motivación.

El relato de *La araña malhumorada* (página 29 – 30), está tomado originalmente de una parábola escrita por J. Joergensen; El maharajá (página 37 – 38), fue tomado de *Es bella si pura la vida*, de Fosco Vandelli; *Martín el zapatero* (páginas 52 – 57), es creación original de León Tolstoi; *El cincelador* (páginas 59 – 60), fue tomado de *Es bella si pura la vida*, de Fosco Vandelli; *Construyo una catedral* (páginas 62 – 63), fue tomado de *Es bella si pura la vida*, de Fosco Vandelli; *El cuarto rey mago* (páginas 64 – 68), fue tomado de *Tutte Storie*, de Bruno Ferrero; *El señor Alegría* (páginas 69 – 71), fue tomado de *Tutte storie*, de Bruno Ferrero; *El rey y el mendigo* (páginas 79 – 81), es un relato original de Rabindranath Tagore; *La camisa del hombre feliz* (páginas 88 – 91), es un relato original de León Tolstoi; *El árbol del progreso* (páginas 102 – 105), fue tomado de *El bosque animado*, de Wenceslao Fernández Flores; *Los tres anillos* (páginas 135 – 137), fue tomado de *Antología de cuentos*, de R. Méndez Pidal; *Los dos hermanos* (páginas 149 – 151), es un relato original de León Tolstoi; *El león cordero* (páginas 152 – 154), está basado en una película producida por Walt Disney.

Acerca del autor

Juan Rivas, LC

El padre Juan Rivas, LC nació en Guadalajara, Jalisco y desde muy pequeño respondió al llamado de Cristo a abrazar la vocación sacerdotal en la comunidad religiosa de los Legionarios de Cristo.

Además de su formación humana, cursó estudios de licenciatura en Filosofía y Teología en el Angelicum, en Roma, Italia. Como sacerdote cursó estudios profesionales en el área de comunicaciones a fin de entender la dinámica de la comunicación y por medio de ella inyectar el Evangelio a un mundo sediento de Dios.

Es el fundador del centro de multimedia Hombre Nuevo, cuya sede y ministerios se encuentran en El Monte, California. Su ministerio es la evangelización y la predicación con los medios de hoy.

El divino Jesús

Juan Rivas, LC

Las pruebas más convincentes de la divinidad de Jesús que ponen la raya entre los falsos profetas y el verdadero enviado de Dios. Un libro que te ayudará a conocer, amar y compartir gozosamente con los demás tu fe en Cristo.

Un debate firme y desafiante para quien busca una respuesta fácil al un misterio que es inagotable. Si eres de los católicos de banqueta que quiere salir de su mediocridad y ser uno de aquellos que están listos a creer con la mente y el corazón, este libro es para ti.

El anillo es para siempre

Ángel Espinosa, LC

El matrimonio es la Institución a la que una sociedad no puede ni debe renunciar. Es mucho más que un hermoso ritual celebrado en una Iglesia, ante Dios y ante una comunidad. ¡Ese es sólo el comienzo de una promesa que ha de vivirse durante toda la vida!